Kompetenzen entwickeln 2

GWG Geographie / Wirtschaft

Gymnasium Baden-Württemberg

TERRA

Lehrerband

Christian Beck, Egbert Brodengeier, Friedhelm Frank,
Thomas Hoffmann, Eva Nöthen, Helmut Obermann,
Andrea Rendel, Kathleen Renz, Frank Schuhmacher

Ernst Klett Schulbuchverlag
Stuttgart · Leipzig

Inhaltsverzeichnis

Verwendete Abkürzungen

DS	Didaktische Struktur
KT	Kompetenzcheck
KV	Kopiervorlage
SE	Selbsteinschätzung
TS	Test/Kompetenztest
L	Lösungsseiten
M	Methodenkompetenz Geographie
S	Sachkompetenz Geographie
Mw	Methodenkompetenz Wirtschaft
Sw	Sachkompetenz Wirtschaft
Sim	Sachkompetenz Integratives Modul

TERRA Kompetenzen entwickeln 2 GWG | ISBN: 978-3-12-104058-2
für: TERRA GWG 2 Gymnasium Baden-Württemberg | ISBN: 978-3-623-27821-6

© | Ernst Klett Verlag GmbH, Stuttgart 2010

Hinweise zum Umgang mit dem Band

„TERRA GWG - Kompetenzen entwickeln" bietet Ihnen eine gezielte Hilfestellung zur kompetenzorientierten Umsetzung und Überprüfung der Bildungsstandards GWG Geographie / Wirtschaft.

Nutzen Sie dieses umfassende Zusatzangebot, aus dem Sie entsprechend Ihrer Unterrichtssituation auswählen können. Die editierbaren Angebote im Netz können Sie über den unten abgedruckten Code ansteuern und gezielt an Ihre Adressatengruppe anpassen.

Das Angebot ist allerdings nicht dazu gedacht, dass Sie Ihren Schülern zu jedem Kapitel eine Selbsteinschätzung zu den Kompetenzen, die Überprüfung aller Items mittels Kompetenzcheck und einen Test abverlangen.

Das Angebot bietet aber Ihren Schülern bedarfsorientiert eine Möglichkeit zur Stärkung ihrer Selbsttätigkeit, zur Erhöhung ihrer Selbstevaluation sowie zur Metakognitation und unterstützt damit die individuelle Kompetenzentwicklung.

Der Band bietet für jedes Kapitel des Schülerbuches ...

1. **eine Didaktische Struktur** für den Lehrer, die eine Unterrichtsplanung erleichtert durch:
   – Ausweisung des Bildungsplan- / Standard-Bezuges,
   – Ausweisung obligatorischer und fakultativer Seiten,
   – Ausweisung von Minimal-Lernwegen und
   – Online-Angebote mit direkter Zugriffsmöglichkeit über einen Onlinelink.

2. **einen Selbsteinschätzungsbogen** für Schüler zu den Kompetenzen einer Unterrichtseinheit getrennt nach:
   1. Orientierungskompetenz,
   2. Sachkompetenz und
   3. Methodenkompetenz mit Bezug zu den Buchseiten.
   Hiermit soll die Selbststeuerung und Selbsttätigkeit Ihrer Schüler gefördert und gestärkt werden. Der Bogen kann zur Vorwissensdiagnose verwendet werden. Er ist für Ihre Schüler im Internet frei zugänglich.

3. **einen Kompetenzcheck** für Schüler zur Überprüfung der Selbsteinschätzung mit allen Lösungen auch im Netz. Dabei wird für jedes Item eine Überprüfungsaufgabe mit direktem Bezug zum Selbsteinschätzungsbogen gestellt. Die Bepunktung erlaubt dem Schüler eine Einordnung in die Kategorien der Selbsteinschätzung ohne Benotung.

4. **einen Kompetenztest** für den Lehrer mit Lösungen, wobei der Kompetenztest etwa ein Drittel Redundanz zum Kompetenzcheck aufweist.

5. **zwei bis drei kompetenzorientierte Arbeitsblätter** für Lehrer in Ergänzung zu den Angeboten auf der Lehrer-CD und den Arbeitsheften. Diese Arbeitsblätter bieten zusätzliches Übungsmaterial. Einzelne Arbeitsblätter sind internetbasiert, um die gezielte und kompetenzorientierte Recherche und Arbeit im Netz zu fördern.

Das Serviceangebot im Netz:

Für Sie als **Lehrer**: Alle Einzelelemente sind über den Code 104058-0000 als PDF oder editierbares Worddokument abrufbar.

Ihre **Schüler** erhalten über www.klett.de/online Zugriff auf die Selbsteinschätzungsbögen, Kompetenzchecks und Lösungen sowie die Online-Angebote der Didaktischen Struktur.

TERRA Kompetenzen entwickeln 2 GWG | ISBN: 978-3-12-104058-2
für: TERRA GWG 2 Gymnasium Baden-Württemberg | ISBN: 978-3-623-27821-6

GWG Bildungsstandards Geographie – Wirtschaft

Die nachfolgende Übersicht zeigt die anzustrebenden Kompetenzen der Bildungsstandards im Überblick, auf die dann bei den Didaktischen Strukturen der einzelnen Themenblöcke mit den ausgewiesenen Kürzeln zurückgegriffen wird.

Kompetenzen und Inhalte für Geographie

Klasse 6

Fachspezifische Methodenkompetenzen

Die Schülerinnen und Schüler können

M1 Basisinformationen aus Karten, Atlaskarten, Profilen, Diagrammen, Klimadiagrammen, Ablaufschemata, Statistiken, Modellen, Bildern, Luftbildern und Texten erfassen und einfache geographische Darstellungsmöglichkeiten selbst anfertigen;

M2 einfache (Modell-)Experimente durchführen und auswerten;

M3 Erkundungen vor Ort durchführen: einfache Kartierungen vornehmen, Informationen sammeln, auswerten und Ergebnisse in angemessener Form präsentieren.

Fach-/Sachkompetenzen

1. Themenfeld: Planet Erde

Die Schülerinnen und Schüler können

S1 die Grundstruktur unseres Sonnensystems und insbesondere die Gestalt der Erde darlegen;

S2 die räumliche Vorstellung von Entfernung und Richtung, Gradnetz und Maßstab nutzen, um die räumliche Anordnung von Orten zu bestimmen;

S3 sich mit Hilfe einfacher Ordnungssysteme auf der Erde orientieren.

2. Themenfeld: Ausgewählte Natur-, Lebens- und Wirtschaftsräume in den Großlandschaften Deutschlands

Die Schülerinnen und Schüler können

S4 Deutschland in Großlandschaften gliedern und diese charakterisieren;

S5 für jeweils eine Landschaft Baden-Württembergs und Deutschlands dominante Oberflächenformen, Naturereignisse und Auswirkungen menschlicher Aktivitäten auf diese Räume beschreiben und damit zusammenhängende zukunftsfähige Handlungsperspektiven entwickeln;

S6 Ausstattung und Funktionen eines ausgewählten Verdichtungsraumes verstehen:

3. Themenfeld: Orientierung in Deutschland und Europa

Die Schülerinnen und Schüler können

S7 politische und räumliche Einheiten in Deutschland unter Beachtung des Maßstabwechsels lokalisieren, beschreiben und entsprechende Funktionen zuweisen;

S8 Europa hinsichtlich physischer, politischer und kultureller Gegebenheiten gliedern und über ein gefestigtes Orientierungsraster Europas verfügen.

4. Themenfeld: Natur-, Lebens- und Wirtschaftsräume in Europa

Die Schülerinnen und Schüler können

S9 im europäischen Raum Zusammenhänge zwischen Klima, Nutzung und Pflanzenwelt einerseits und den Lebensbedingungen andererseits aufzeigen;

S10 exemplarisch Naturereignisse und Naturkatastrophen in ihren Auswirkungen als Bedrohung der Menschen beschreiben;

S11 ein Hochgebirge Europas (Alpen) als Natur- und Lebensraum erfassen, die Gefährdung des Naturraumes durch menschliche Nutzungen aufzeigen und Handlungsperspektiven für eine zukunftsfähige Entwicklung in Hochgebirgsräumen nachvollziehen;

S12 an Hand von Betriebsbeispielen Zusammenhänge der landwirtschaftlichen Produktion in ihrer Abhängigkeit von Naturfaktoren, Produktionsfaktoren und Märkten erklären sowie mögliche Umweltgefährdungen durch die Nutzungen und zukunftsfähige Lösungswege darstellen;

S13 exemplarisch die Grundzüge von Produktionsketten und einer damit verbundenen Arbeitsteilung zwischen Erzeugung, Verarbeitung, Vermarktung und Konsum (Nutzung) beschreiben;

S14 am Beispiel eines ausgewählten Wirtschaftsraumes die Grundvoraussetzungen und den Wandel wirtschaftlicher Produktion aufzeigen;

S15 die Bedeutung des Tourismus als bestimmenden Wirtschaftsfaktor und die daraus resultierenden Problematiken in einer ausgewählten Region Europas darlegen.

Kompetenzen und Inhalte für Wirtschaft

Klasse 6

Die Schülerinnen und Schüler können

Sw1 das Spannungsverhältnis zwischen Bedürfnissen und begrenzten Gütern und damit die Knappheit als Grundlage wirtschaftlichen Handelns verstehen;

Sw2 Formen von Arbeitsteilung unterscheiden;

Sw3 wesentliche Merkmale eines Marktes und einfache Preisbildungszusammenhänge beschreiben;

Sw4 aus ihrem Erfahrungsbereich die Beeinträchtigung ihrer Umwelt durch Produktion und Konsum erläutern;

Mw1 einfache Informationen (wirtschaftliche Sachtexte oder Daten) auswerten und darstellen.

Mw2 wirtschaftliche Vorgänge im Rahmen von Erkundungen (z.B. Wochenmarkt, Bauernhof) genau beobachten und sachgerecht beschreiben;

Sw5 erste Eindrücke aus der Berufs- und Arbeitswelt wiedergeben (Berufsorientierung am Gymnasium).

Kompetenzen und Inhalte:
Integrative Module GWG

Klasse 6

Themenfeld: Beobachten, Orientieren und demokratisches Handeln im nahen Erfahrungsraum

Die Schülerinnen und Schüler

Sim1 können Sachverhalte mit Hilfe vorgegebener Kriterien beobachten und auswerten;

Sim2 verfügen über Orientierungsraster im nahen Erfahrungsraum;

Sim3 kennen und reflektieren verschiedene Lebens- und Wirtschaftsweisen;

Sim4 sind in der Lage, ihre eigenen Interessen in sozialer Verantwortung zu reflektieren;

Sim5 kennen und reflektieren Mitwirkungsmöglichkeiten und Formen demokratischen Handelns.

Quelle: Ministerium für Kultus, Jugend und Sport Badenwürttemberg (Hrsg): Bildungsplan für das Gymnasium der Normalform, Lehrplanheft 4/2004, S. 236, 240 und 252

Bezüge zum Bildungsplan/Kompetenzübersicht
Die Schülerinnen und Schüler können …
M1 Basisinformationen aus Karten, […], Bildern, […] Luftbildern und Texten erfassen und einfache geographische Darstellungsmöglichkeiten selbst anfertigen;
M3 Informationen sammeln, auswerten und Ergebnisse in angemessener Form präsentieren;
S2 räumliche Vorstellung von Entfernung und Richtung, Gradnetz und Maßstab nutzen, um die räumliche Anordnung von Orten zu bestimmen;
S3 sich mit Hilfe einfacher Ordnungssysteme auf der Erde orientieren;
S8 Europa hinsichtlich physischer, politischer und kultureller Gegebenheiten gliedern und über ein gefestigtes Orientierungsraster Europas verfügen.

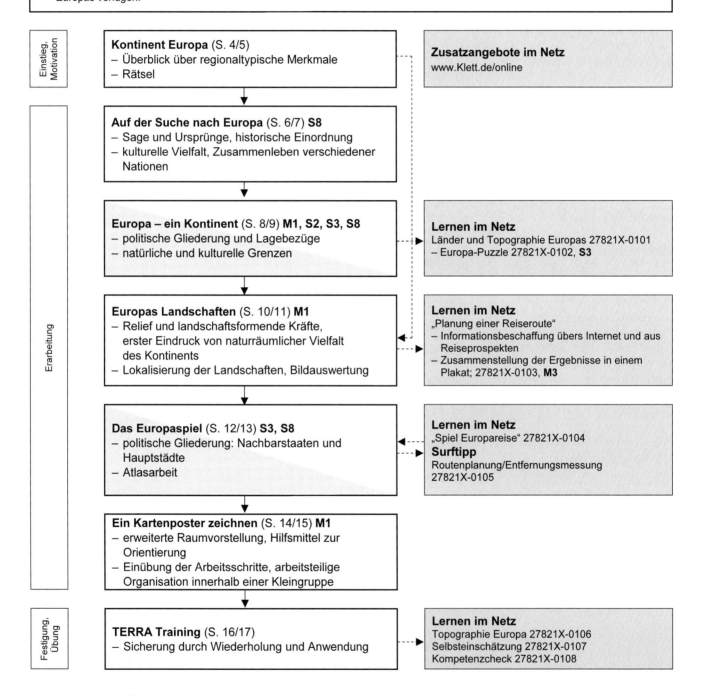

Einstieg, Motivation

Kontinent Europa (S. 4/5)
– Überblick über regionaltypische Merkmale
– Rätsel

Zusatzangebote im Netz
www.Klett.de/online

Erarbeitung

Auf der Suche nach Europa (S. 6/7) **S8**
– Sage und Ursprünge, historische Einordnung
– kulturelle Vielfalt, Zusammenleben verschiedener Nationen

Europa – ein Kontinent (S. 8/9) **M1, S2, S3, S8**
– politische Gliederung und Lagebezüge
– natürliche und kulturelle Grenzen

Lernen im Netz
Länder und Topographie Europas 27821X-0101
– Europa-Puzzle 27821X-0102, **S3**

Europas Landschaften (S. 10/11) **M1**
– Relief und landschaftsformende Kräfte, erster Eindruck von naturräumlicher Vielfalt des Kontinents
– Lokalisierung der Landschaften, Bildauswertung

Lernen im Netz
„Planung einer Reiseroute"
– Informationsbeschaffung übers Internet und aus Reiseprospekten
– Zusammenstellung der Ergebnisse in einem Plakat; 27821X-0103, **M3**

Das Europaspiel (S. 12/13) **S3, S8**
– politische Gliederung: Nachbarstaaten und Hauptstädte
– Atlasarbeit

Lernen im Netz
„Spiel Europareise" 27821X-0104
Surftipp
Routenplanung/Entfernungsmessung 27821X-0105

Ein Kartenposter zeichnen (S. 14/15) **M1**
– erweiterte Raumvorstellung, Hilfsmittel zur Orientierung
– Einübung der Arbeitsschritte, arbeitsteilige Organisation innerhalb einer Kleingruppe

Festigung, Übung

TERRA Training (S. 16/17)
– Sicherung durch Wiederholung und Anwendung

Lernen im Netz
Topographie Europa 27821X-0106
Selbsteinschätzung 27821X-0107
Kompetenzcheck 27821X-0108

Inhaltsfelder mit Seitenangaben (Bezug zum Schülerbuch), fakultative Elemente sind grau hinterlegt
(M= Fachspezifische Methodenkompetenz, S = Sachkompetenz)

 Klett
© Ernst Klett Verlag GmbH, Stuttgart 2010. | www.klett.de |
TERRA Kompetenzen entwickeln 2 GWG | ISBN: 978-3-12-104058-2 |
für: TERRA GWG 2 Gymnasium Baden-Württemberg | ISBN: 978-3-623-27821-6

	stimmt	stimmt überwiegend	stimmt teilweise	stimmt nicht

1. Orientierungskompetenz

a) Ich kann zwei natürliche Gegebenheiten zur Abgrenzung Europas im Osten benennen. (S. 11, S. 14f)				
b) Ich kann drei Mittelgebirge in der Abfolge von Norden nach Süden nennen. (S. 14/15)				
c) Ich kann drei europäische Hauptstädte mit einem Lagebezug nennen. (S. 12–15)				
d) Ich kann für Nord-, West -und Südeuropa je ein Land nennen, das eine Insel ist. (S. 11)				
e) Ich kann für die Großräume Nordeuropa und Westeuropa jeweils fünf Staaten nennen. (S. 8)				
f) Ich kann die Lage der verschiedenen Meere beschreiben, die die Küstenlinie des europäischen Kontinents bilden. (S. 12/13)				

2. Sachkompetenz

a) Ich kann erklären, warum Europa als ein naturräumlich vielfältiger Kontinent bezeichnet werden kann. (S. 8)				
b) Ich kann eine Veränderung im Relief Europas erklären, die seit der letzten Eiszeit besonders deutlich wurde. (S. 10)				

3. Methodenkompetenz

a) Ich kann mithilfe des Maßstabs aus einer Karte die Entfernung zwischen zwei Städten ermitteln. (S. 8)				
b) Ich kann die Lage von Städten im Gradnetz bestimmen. (S. 17)				
c) Ich kann die einzelnen Arbeitsschritte zur Erstellung eines Kartenposters nennen. (S. 14/15)				

Name: **Klasse:**   **Datum:**

 © Ernst Klett Verlag GmbH, Stuttgart 2010. | www.klett.de |
TERRA Kompetenzen entwickeln 2 GWG | ISBN: 978-3-12-104058-2 |
für: TERRA GWG 2 Gymnasium Baden-Württemberg | ISBN: 978-3-623-27821-6

1. Orientierungskompetenz

a) Ich kann zwei natürliche Gegebenheiten zur Abgrenzung im Osten Europas benennen.
(S. 11, S. 14)

1 Nenne zwei natürliche Grenzpunkte oder Grenzlinien im Osten Europas.   (___/2 P.)

_____

_____

b) Ich kann drei Mittelgebirge in der Abfolge von Norden nach Süden nennen. (S. 14/15)

2 Kreuze alle Dreiergruppen von Mittelgebirgen an, die in der richtigen Reihenfolge von Nord   (___/3 P.)
nach Süd genannt werden.

☐ Schottisches Hochland → Zentralmassiv → Abruzzen

☐ Rhodopen (südlich, in Griechenland/Bulgarien) → Erzgebirge → Pyrenäen

☐ Ardennen → Eifel →Vogesen

_____

_____

c) Ich kann drei europäische Hauptstädte mit einem Lagebezug nennen. (S. 12–15)

3 Beschreibe vergleichend die Lage von zwei europäischen Hauptstädten.
Beispiel: LONDON liegt an der THEMSE und befindet sich im Vergleich zum an der OSTSEE   (___/3 P.)
gelegenen STOCKHOLM weiter im SÜDEN.

_____

_____

_____

d) Ich kann für Nord-, West -und Südeuropa je ein Land nennen, das eine Insel ist.
(S. 11, Haack Weltatlas S. 70/71)

4 Nenne jeweils für Nord-, West -und Südeuropa ein Land, das auch eine Insel ist.   (___/3 P.)

_____

_____

e) Ich kann für die Großräume Nordeuropa und Westeuropa jeweils fünf Staaten nennen.
(S. 8)

5 Nenne die fünf Staaten Nordeuropas.   (___/5 P.)

_____

_____

_____

Name: **Klasse:**   **Datum:**

 © Ernst Klett Verlag GmbH, Stuttgart 2010. | www.klett.de |
TERRA Kompetenzen entwickeln 2 GWG | ISBN: 978-3-12-104058-2 |
für: TERRA GWG 2 Gymnasium Baden-Württemberg | ISBN: 978-3-623-27821-6

8

f) Ich kann die Lage der verschiedenen Meere beschreiben, die die Küstenlinie des europäischen Kontinents bilden. (S. 12/13)

6 Benenne im Uhrzeigersinn beginnend im Osten alle Meere, die zur Küstenlinie Europas beitragen.

(___/5 P.)

2. Sachkompetenz

a) Ich kann erklären, warum Europa als ein naturräumlich vielfältiger Kontinent bezeichnet werden kann. (S. 8)

7 Prüfe, ob die folgenden Aussagen zur Vervollständigung des Satzes passen.
„Europa ist ein Kontinent mit vielen Gesichtern, weil …"

(___/4 P.)

	richtig	falsch
… die Nord-Süd und Ost-West-Ausdehnung sich über unterschiedlichste Oberflächenformen jeweils auf mehr als 4000 km Luftlinie erstreckt.		
… Europa in drei Großregionen unterteilt wird.		
… der Einfluss des Meeres auf das Klima durch die zergliederte Küstenlinie in allen Teilen Europas gleich groß ist.		
… je nach Höhenlage bzw. Breitengrad es große klimatische Unterschiede gibt.		

b) Ich kann eine Veränderung im Relief Europas erklären, die seit der letzten Eiszeit besonders deutlich wurde. (S. 10)

8 Beschreibe an einem Beispiel den Zusammenhang zwischen dem Abschmelzen der eiszeitlichen Vergletscherung und der darauf folgenden Veränderung der Landschaft. Wähle für deine Antwort einen der vier Begriffe: **Meeresspiegel, Talbildung, Inlandeis, Hebung**

(___/4 P.)

Durch das Abschmelzen der eiszeitlichen Vergletscherung kam es …

Name:　　　　　　　　　Klasse:　　　　　　　　　Datum:

© Ernst Klett Verlag GmbH, Stuttgart 2010. | www.klett.de |
TERRA Kompetenzen entwickeln 2 GWG | ISBN: 978-3-12-104058-2 |
für: TERRA GWG 2 Gymnasium Baden-Württemberg | ISBN: 978-3-623-27821-6

3. Methodenkompetenz

a) Ich kann mithilfe des Maßstabs aus einer Karte die Entfernung zwischen zwei Städten ermitteln. (S. 8)

9 Beschreibe, wie man mithilfe der nebenstehenden Karte die Entfernung (Luftlinie) von Lissabon nach Moskau ermittelt.

(___/4 P.)

```
0    500   1000 km
```

_____

_____

_____

_____

_____

_____

_____

_____

_____

b) Ich kann die Lage von Städten im Gradnetz bestimmen. (S. 17)

10 Gibt mithilfe einer Atlaskarte für Prag und London jeweils die Koordinaten zur Lagebestimmung in Grad an.

(___/4 P.)

Prag: _____°Nord, _____°Ost   **London:** _____°Nord, _____°Ost

c) Ich kann die einzelnen Arbeitsschritte zur Erstellung eines Kartenposters nennen. (S. 14/15)

11 Bringe die einzelnen Arbeitsschritte durch passende Nummerierung in die richtige Reihenfolge.

(___/5 P.)

[ ] Die Lage der Flüsse und Hauptstädte wird im Poster farbig festgelegt.

[ ] Die Küstenlinie wird mit einem schwarzen Stift nachgezogen.

[ ] Eine physische Karte von Europa wird über Tageslichtprojektor oder Beamer auf einen großen Zeichenkarton projiziert.

[ ] Größere Gebirge werden als braune Flächen dargestellt.

[ ] Das Kartenposter wird beschriftet, indem z.B. Städtenamen eingetragen werden.

Name: **Klasse:**   **Datum:**

© Ernst Klett Verlag GmbH, Stuttgart 2010. | www.klett.de |
TERRA Kompetenzen entwickeln 2 GWG | ISBN: 978-3-12-104058-2 |
für: TERRA GWG 2 Gymnasium Baden-Württemberg | ISBN: 978-3-623-27821-6

1. Orientierungskompetenz

a) Ich kann zwei natürliche Gegebenheiten zur Abgrenzung im Osten Europas benennen.
(S. 11, S. 14)

1 Nenne zwei natürliche Grenzpunkte oder Grenzlinien im Osten Europas. (__ / 2 P.)

Bosporus bei Istanbul zwischen Marmarameer und Schwarzem Meer als „Grenzmarke" in

der Türkei oder: Kaspisches Meer oder: Ural (Fluss und Gebirge) in Russland

stimmt	2 Punkte	stimmt überwiegend	–	stimmt teilweise	1 Punkt	stimmt nicht	0 Punkte

b) Ich kann drei Mittelgebirge in der Abfolge von Norden nach Süden nennen. (S. 14/15)

2 Kreuze alle Dreiergruppen von Mittelgebirgen an, die in der richtigen Reihenfolge von Nord (__ / 3 P.)
nach Süd genannt werden.

[x] Schottisches Hochland → Zentralmassiv → Abruzzen

[ ] Rhodopen (südlich, in Griechenland/Bulgarien) → Erzgebirge → Pyrenäen

[x] Ardennen → Eifel → Vogesen

(falsch: Pyrenäen sind ein Hoch- und kein Mittelgebirge)

stimmt	3 Punkte	stimmt überwiegend	2 Punkte	stimmt teilweise	1 Punkt	stimmt nicht	0 Punkte
Punkteverteilung: Für falsch angekreuzte Kombination 1 Punkt Abzug							

c) Ich kann drei europäische Hauptstädte mit einem Lagebezug nennen. (S. 12–15)

3 Beschreibe vergleichend die Lage von zwei europäischen Hauptstädten.
Beispiel: LONDON liegt an der THEMSE und befindet sich im Vergleich zum an der OSTSEE (__ / 3 P.)
gelegenen STOCKHOLM weiter im SÜDEN.

Beispiel: Die Schweizer Hauptstadt BERN liegt in den ALPEN, nördlich davon liegt
KOPENHAGEN, die an der OSTSEE gelegene Hauptstadt Dänemarks.
Oder: Nordöstlich von MADRID liegen die PYRENÄEN. Die Spanische Hauptstadt liegt
südlicher als die an der Donau gelegene ungarische Hauptstadt BUDAPEST.

stimmt	3 Punkte	stimmt überwiegend	2 Punkte	stimmt teilweise	1 Punkt	stimmt nicht	0 Punkte
Punkteverteilung: Je Lagebeziehung 1 Punkt							

d) Ich kann für Nord-, West -und Südeuropa je ein Land nennen, das eine Insel ist.
(S. 11, Haack Weltatlas S. 70/71)

4 Nenne jeweils für Nord-, West -und Südeuropa ein Land, das auch eine Insel ist. (__ / 3 P.)

N-Europa: Island; Westeuropa: Irland oder Großbritannien; Südeuropa: Malta oder Zypern

stimmt	3 Punkte	stimmt überwiegend	2 Punkte	stimmt teilweise	1 Punkt	stimmt nicht	0 Punkte

e) Ich kann für die Großräume Nordeuropa und Westeuropa jeweils fünf Staaten nennen.
(S. 8)

5 Nenne die fünf Staaten Nordeuropas. (__ / 5 P.)

Island, Dänemark, Norwegen, Schweden und Finnland

stimmt	5 Punkte	stimmt überwiegend	4 Punkte	stimmt teilweise	3 – 2 Punkte	stimmt nicht	1 – 0 Punkte

Name: **Klasse:**   **Datum:**

 Klett

© Ernst Klett Verlag GmbH, Stuttgart 2010. | www.klett.de |
TERRA Kompetenzen entwickeln 2 GWG | ISBN: 978-3-12-104058-2 |
für: TERRA GWG 2 Gymnasium Baden-Württemberg | ISBN: 978-3-623-27821-6

f) Ich kann die Lage der verschiedenen Meere beschreiben, die die Küstenlinie des europäischen Kontinents bilden. (S. 12/13)

6 Benenne im Uhrzeigersinn beginnend im Osten alle Meere, die zur Küstenlinie Europas beitragen. (___ /5 P.)

Schwarzes Meer, Mittelmeer (evtl. mit Unterteilung in Marmarameer, Ägäisches Meer,

Adria), Atlantik, Nordsee, Ostsee (evtl. mit Bottnischem und Finnischem Meerbusen)

| stimmt | 5 Punkte | stimmt überwiegend | 4 Punkte | stimmt teilweise | 3 – 2 Punkte | stimmt nicht | 1 – 0 Punkte |

2. Sachkompetenz

a) Ich kann erklären, warum Europa als ein naturräumlich vielfältiger Kontinent bezeichnet werden kann. (S. 8)

7 Prüfe, ob die folgenden Aussagen zur Vervollständigung des Satzes passen. (___ /4 P.)
„Europa ist ein Kontinent mit vielen Gesichtern, weil …"

	richtig	falsch
… die Nord-Süd und Ost-West-Ausdehnung sich über unterschiedlichste Oberflächenformen jeweils auf mehr als 4000 km Luftlinie erstreckt.	x	
… Europa in drei Großregionen unterteilt wird.		x
… der Einfluss des Meeres auf das Klima durch die zergliederte Küstenlinie in allen Teilen Europas gleich groß ist.		x
… je nach Höhenlage bzw. Breitengrad es große klimatische Unterschiede gibt.	x	

| stimmt | 4 Punkte | stimmt überwiegend | 3 Punkte | stimmt teilweise | 2 Punkte | stimmt nicht | 1 – 0 Punkte |

b) Ich kann eine Veränderung im Relief Europas erklären, die seit der letzten Eiszeit besonders deutlich wurde. (S. 10)

8 Beschreibe an einem Beispiel den Zusammenhang zwischen dem Abschmelzen der eiszeitlichen Vergletscherung und der darauf folgenden Veränderung der Landschaft. (___ /4 P.)
Wähle für deine Antwort einen der vier Begriffe: **Meeresspiegel, Talbildung, Inlandeis, Hebung**

Durch das Abschmelzen der eiszeitlichen Vergletscherung kam es …

… zum Anstieg des Meeresspiegels (teilweise über 50 m) und somit zur Veränderung der

Küstenlinie.

… zu verstärkter Talbildung durch Flüsse, infolge der Erosion durch Schmelzwasser

und Freilegung der ehemals vergletscherten Landschaften.

… wurden Tiefländer von Flüssen und abschmelzendem Inlandeis geformt, z.B. kam es zur

Seenbildung (z.B. Finnland).

… kam es zur Hebung der Landmassen durch Druckentlastung (z.B. Schärenküste).

| stimmt | 4 Punkte | stimmt überwiegend | 3 Punkte | stimmt teilweise | 2 Punkte | stimmt nicht | 1 – 0 Punkte |

Name: Klasse: Datum:

 Klett

© Ernst Klett Verlag GmbH, Stuttgart 2010. | www.klett.de |
TERRA Kompetenzen entwickeln 2 GWG | ISBN: 978-3-12-104058-2 |
für: TERRA GWG 2 Gymnasium Baden-Württemberg | ISBN: 978-3-623-27821-6

3. Methodenkompetenz

a) Ich kann mithilfe des Maßstabs aus einer Karte die Entfernung zwischen zwei Städten ermitteln. (S. 8)

9 Beschreibe, wie man mithilfe der nebenstehenden Karte die Entfernung (Luftlinie) von Lissabon nach Moskau ermittelt.

(___/4 P.)

Aus der Karte wird mit einem LINEAL

die Entfernung der zwei Städte

ermittelt. Der MAßSTAB gibt an, wie

viele Kilometer einem Zentimeter in

der Karte entsprechen Über eine

MULTIPLIKATION wird die

tatsächliche Entfernung bestimmt.

hier: 7,8 cm mal 500 = 3900 km

stimmt	4 Punkte	stimmt überwiegend	3 Punkte	stimmt teilweise	2 Punkte	stimmt nicht	1 – 0 Punkte

Punkteverteilung: 3 Punkte (Beschreibung unzureichend, Ergebnis jedoch korrekt), 2 Punkte (Ergebnis falsch, Arbeitsschritte richtig)

b) Ich kann die Lage von Städten im Gradnetz bestimmen. (S. 17)

10 Gibt mithilfe einer Atlaskarte für Prag und London jeweils die Koordinaten zur Lagebestimmung in Grad an.

(___/4 P.)

Prag: ___50___ °Nord, ___14___ °Ost   **London:** ___51___ °Nord, ___0___ °Ost

stimmt	4 Punkte	stimmt überwiegend	3 Punkte	stimmt teilweise	2 Punkte	stimmt nicht	1 – 0 Punkte

c) Ich kann die einzelnen Arbeitsschritte zur Erstellung eines Kartenposters nennen. (S. 14/15)

11 Bringe die einzelnen Arbeitsschritte durch passende Nummerierung in die richtige Reihenfolge.

(___/5 P.)

3 | Die Lage der Flüsse und Hauptstädte wird im Poster farbig festgelegt.

2 | Die Küstenlinie wird mit einem schwarzen Stift nachgezogen.

1 | Eine physische Karte von Europa wird über Tageslichtprojektor oder Beamer auf einen großen Zeichenkarton projiziert.

4 | Größere Gebirge werden als braune Flächen dargestellt.

5 | Das Kartenposter wird beschriftet, indem z.B. Städtenamen eingetragen werden.

stimmt	5 Punkte	stimmt überwiegend	4 Punkte	stimmt teilweise	3 – 2 Punkte	stimmt nicht	1 – 0 Punkte

Name: **Klasse:**   **Datum:**

© Ernst Klett Verlag GmbH, Stuttgart 2010. | www.klett.de |
TERRA Kompetenzen entwickeln 2 GWG | ISBN: 978-3-12-104058-2 |
für: TERRA GWG 2 Gymnasium Baden-Württemberg | ISBN: 978-3-623-27821-6

13

1 ▶ **Außenseiter gesucht!**

a) In jeder Reihe befindet sich ein Begriff, der geographisch nicht zu den anderen passt. Streiche diesen aus der Reihe.   (__/4 P.)

    1 Marmarameer, Bodensee, Bottnischer Meerbusen, Ärmelkanal

    2 Alpen, Kaukasus, Harz, Hohe Tatra

    3 Vesuv, Ätna, Kaiserstuhl, Montblanc

    4 Themse, Elbe, Rhein, Donau

b) Begründe kurz, warum du in der jeweiligen Reihe den Begriff als unpassend empfandest.   (__/4 P.)

In der Reihe Nr. 1 hat _____ nicht gepasst, weil _____

In der Reihe Nr. 2 hat _____ nicht gepasst, weil _____

In der Reihe Nr. 3 hat _____ nicht gepasst, weil _____

In der Reihe Nr. 4 hat _____ nicht gepasst, weil _____

        oder _____ nicht gepasst, weil _____

2 ▶ Beschreibe die folgende Abbildung nach dem vorgegebenen Muster und nutze auch die Begriffe aus dem Wortspeicher: Ballungszentren/Großstädte, Ländergrenzen, Gebirge, hohe Bevölkerungsdichte, Küstenlinie, hoher technischer Entwicklungsstand.   (__/8 P.)

NASA, Washington D.C.

Dargestellt ist _____ (Kontinent) bei _____ (Aufnahmezeitpunkt).

Das Bild ist aufgenommen _____ (Aufnahmeort).

Ich erkenne als Teilstrukturen _____ und _____ .

Nicht zu erkennen sind _____ .

Das Bild kann so gedeutet werden, dass dieser Kontinent folgende zwei Merkmale aufweist …

_____

_____

Name: **Klasse:**   **Datum:**

© Ernst Klett Verlag GmbH, Stuttgart 2010. | www.klett.de |
TERRA Kompetenzen entwickeln 2 GWG | ISBN: 978-3-12-104058-2 |
für: TERRA GWG 2 Gymnasium Baden-Württemberg | ISBN: 978-3-623-27821-6

3 Kreuze die Dreiergruppe(n) an, bei der die Mittelgebirge in der richtigen Reihenfolge von West nach Ost genannt werden und begründe falls eine Gruppe nicht richtig ist. (__ / 3 P.)

☐ Rhodopen → Erzgebirge → Pyrenäen _____

☐ Ardennen → Eifel → Vogesen _____

☐ Schottisches Hochland → Zentralmassiv → Abruzzen _____

4 Vervollständige den folgenden Lückentext um bei verschiedenen europäischen Hauptstädten Lagebeziehungen herzustellen. (__ /4 P.)

Die Schweizer Hauptstadt B _ _ _ liegt in den A _ _ _ _.

Kopenhagen ist die Hauptstadt von D _ _ _ _ _ _ _ und liegt an der O _ _ _ _ _.

N _ _ _ _ _ _ _ _ _ _ von Madrid liegt das P_ _ _ _ _ _ _ -Gebirge.

In der Nähe der Karpaten liegende U _ _ _ _ _ _ _ _ _ _ Hauptstadt heißt B _ _ _ _ _ _ _.

5 Benenne im Uhrzeigersinn alle Meere, die zur Küstenlinie Europas beitragen. Beginne im Osten. (__ /5 P.)

_____

_____

6 Entsprechend ihrer Lage bzw. kulturell-geschichtlicher Gegebenheiten werden in Europa sechs Großregionen unterschieden.

a) Verdeutliche diese Gliederung, indem du die jeweiligen Länder einer Großregion durch gleiche Farbgebung zusammenfasst. Vergiss nicht, diese Farbe auch in der Kartenlegende aufzunehmen.

(__ /6 P.)

b) Bestimme mithilfe der Karte die Entfernung zwischen London und Warschau.

(__ /1 P.)

0   500   1000 km

☐ Nordeuropa   ☐ Mitteleuropa   ☐ Südosteuropa

☐ Westeuropa   ☐ Osteuropa   ☐ Südeuropa

Gesamtpunktzahl: (__ / 35 P.)

Note:

Name: _____   Klasse: _____   Datum: _____

© Ernst Klett Verlag GmbH, Stuttgart 2010. | www.klett.de |
TERRA Kompetenzen entwickeln 2 GWG | ISBN: 978-3-12-104058-2 |
für: TERRA GWG 2 Gymnasium Baden-Württemberg | ISBN: 978-3-623-27821-6

1▶ Außenseiter gesucht!

a) In jeder Reihe befindet sich ein Begriff, der geographisch nicht zu den anderen passt. Streiche diesen aus der Reihe.　　(___/4 P.)

　1 Marmarameer, <u>Bodensee</u>, Bottnischer Meerbusen, Ärmelkanal

　2 Alpen, Kaukasus, <u>Harz</u>, Hohe Tatra

　3 Vesuv, Ätna, Kaiserstuhl, <u>Montblanc</u>

　4 <u>Themse</u>, Elbe, Rhein, <u>Donau</u>

b) Begründe kurz, warum du in der jeweiligen Reihe den Begriff als unpassend empfandest.　　(___/4 P.)

In der Reihe Nr. 1 hat **Bodensee** nicht gepasst, weil **Binnengewässer/Süßwasser**

In der Reihe Nr. 2 hat **Brocken im Harz** nicht gepasst, weil **Teil eines Mittelgebirges**

In der Reihe Nr. 3 hat **Montblanc** nicht gepasst, weil **kein vulkanischer Ursprung**

In der Reihe Nr. 4 hat **Themse** nicht gepasst, weil **kein Grenzfluss zwischen Nachbarstaaten**

　　　　　oder **Donau** nicht gepasst, weil **fließt als einziger Fluss nicht in die Nordsee**

2▶ Beschreibe die folgende Abbildung nach dem vorgegebenen Muster und nutze auch die Begriffe aus dem Wortspeicher: Ballungszentren/Großstädte, Ländergrenzen, Gebirge, hohe Bevölkerungsdichte, Küstenlinie, hoher technischer Entwicklungsstand.　　(___/8 P.)

NASA, Washington D.C.

Dargestellt ist _____**Europa**_____(Kontinent) bei _____**Nacht**_____(Aufnahmezeitpunkt).

Das Bild ist aufgenommen _____**vom All aus/Satellit**_____(Aufnahmeort).

Ich erkenne als Teilstrukturen _____**Küstenlinie**_____ und _____**Ballungszentren/Großstädte**_____.

Nicht zu erkennen sind _____**Ländergrenzen, oder: Gebirge, oder: Binnengewässer**_____.

Das Bild kann so gedeutet werden, dass dieser Kontinent folgende zwei Merkmale aufweist …

hohe Bevölkerungsdichte, hoher technischer Entwicklungsstand

(flächenhafte Stromversorgung, …)

(ohne Wortspeicher = 3P)

(2 Raumelemente = 1P)

(zwei Beobachtungen mit Pfeil/Ziffer an der Abbildung zeigen (= 1P)

Name:　　　　　　　　Klasse:　　　　　　　　Datum:

 Klett　© Ernst Klett Verlag GmbH, Stuttgart 2010. | www.klett.de |
TERRA Kompetenzen entwickeln 2 GWG | ISBN: 978-3-12-104058-2 |
für: TERRA GWG 2 Gymnasium Baden-Württemberg | ISBN: 978-3-623-27821-6

3 Kreuze die Dreiergruppe(n) an, bei der die Mittelgebirge in der richtigen Reihenfolge von West nach Ost genannt werden und begründe falls eine Gruppe nicht richtig ist. (__ / 3 P.)

[ ] Rhodopen → Erzgebirge → Pyrenäen (FALSCH: Reihenfolge von Ost nach West)

[X] Ardennen → Eifel → Vogesen (RICHTIG)

[X] Schottisches Hochland → Zentralmassiv → Abruzzen (RICHTIG)

4 Vervollständige den folgenden Lückentext um bei verschiedenen europäischen Hauptstädten Lagebeziehungen herzustellen. (__ /4 P.)

Die Schweizer Hauptstadt BERN liegt in den ALPEN.

Kopenhagen ist die Hauptstadt von DÄNEMARK und liegt an der OSTSEE.

NORDÖSTLICH von Madrid liegt das PYRENÄEN-Gebirge.

In der Nähe der Karpaten liegende UNGARISCHE Hauptstadt heißt BUDAPEST.

5 Benenne im Uhrzeigersinn alle Meere, die zur Küstenlinie Europas beitragen. Beginne im Osten. (__ /5 P.)

Schwarzes Meer, Mittelmeer (evtl. mit Unterteilung in Marmarameer, Ägäisches Meer, Adria),

Atlantik, Nordsee, Ostsee (evtl. mit Bottnischem und Finnischem Meerbusen)

6 Entsprechend ihrer Lage bzw. kulturell-geschichtlicher Gegebenheiten werden in Europa sechs Großregionen unterschieden.

a) Verdeutliche diese Gliederung, indem du die jeweiligen Länder einer Großregion durch gleiche Farbgebung zusammenfasst. Vergiss nicht, diese Farbe auch in der Kartenlegende aufzunehmen. (__ /6 P.)

b) Bestimme mithilfe der Karte die Entfernung zwischen London und Warschau. (__ /1 P.)

ca. 1500 km

0   500   1000 km

Nordeuropa	Mitteleuropa	Südosteuropa
Westeuropa	Osteuropa	Südeuropa

35–31 Punkte = 1
30–25 Punkte = 2
24–20 Punkte = 3
19–15 Punkte = 4
14–7 Punkte = 5
6–0 Punkte = 6

Gesamtpunktzahl: (__ / 35 P.)

Note:

Name: Klasse: Datum:

© Ernst Klett Verlag GmbH, Stuttgart 2010. | www.klett.de |
TERRA Kompetenzen entwickeln 2 GWG | ISBN: 978-3-12-104058-2 |
für: TERRA GWG 2 Gymnasium Baden-Württemberg | ISBN: 978-3-623-27821-6

Bei der Bearbeitung dieses Arbeitsblattes hilft dir eine Atlaskarte „Physische Übersicht Europa"
(z.B. Haack Weltatlas S. 70/71)

1

a) Verbinde die Gebirge 1–6 durch Pfeile mit der Karte.

b) Bezeichne in der Auflistung rechts neben der Karte die Gebirge 7 bis 10.

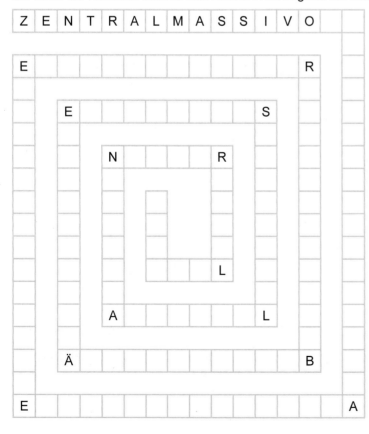

1 Skandinavisches
Gebirge (_____)

2 Zentralmassiv (_____)

3 Sudeten (_____)

4 Karpaten (_____)

5 Apenninen (_____)

6 Balkan (_____)

7 _____ (_____)

8 _____ (_____)

9 _____ (_____)

10 _____ (_____)

c) Zusatzaufgabe: Erst lösen, wenn du bereits Aufgabe 2 bearbeitet hast:
   Gib bei möglichst vielen der Gebirgen die höchste Erhebung mit Höhe und Namen an.

2 Löse die Rätselschnecke. Das zweite Wort beginnt mit dem letzten Buchstaben des ersten Wortes, ß = ss.

| Z | E | N | T | R | A | L | M | A | S | S | I | V | O |

E ... R

E ... S

N ... R

L

A ... L

Ä ... B

E ... A

→ Gebirge im SO Frankreichs
→ Gebirge im O Frankreichs
→ „flacher" Nachbarstaat Deutschlands im W
→ nördlichster der baltischen Staaten
→ Bewohner Deutschlands
→ drittgrößte italienische Mittelmeerinsel
→ größtes europäisches Gebirge
→ nördlichster Punkt Europas
→ Gebirge zwischen Frankreich und Spanien
→ Stadt westlich des Vesuvs
→ Hauptstadt Portugals
→ Staat Skandinaviens mit reichen
   Ölvorkommen
→ Gewässer östlich von Großbritannien
→ Höchster Berg (5633 m) im Kaukasus
→ westlichster Punkt Irlands
→ Nachbarland zu Deutschland im Norden
→ Gebirgsbogen in Osteuropa
→ Gebiet unter 200 m im Norden Deutschlands
→ Landschaft in Kroatien (ähnlich einer
   Hunderasse mit vielen schwarzen Flecken)
→ „Lebkuchenstadt" in Bayern
→ höchster Berg Österreichs (Gegenteil von
   „Kleinklingel")

Name: _____   Klasse: _____   Datum: _____

© Ernst Klett Verlag GmbH, Stuttgart 2010. | www.klett.de |
TERRA Kompetenzen entwickeln 2 GWG | ISBN: 978-3-12-104058-2 |
für: TERRA GWG 2 Gymnasium Baden-Württemberg | ISBN: 978-3-623-27821-6

Bei der Bearbeitung dieses Arbeitsblattes hilft dir eine Atlaskarte „Physische Übersicht Europa"
(z.B. Haack Weltatlas S. 70/71)

1

a) Verbinde die Gebirge 1–6 durch Pfeile mit der Karte.

b) Bezeichne in der Auflistung rechts neben der Karte die Gebirge 7 bis 10.

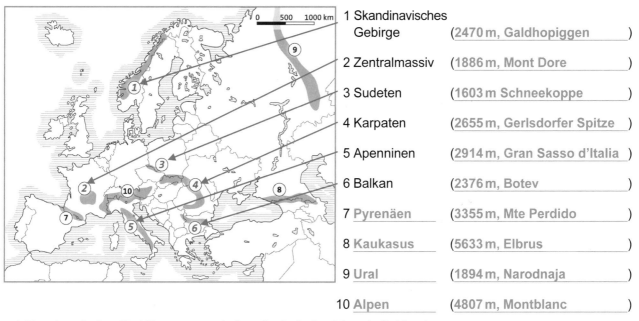

1	Skandinavisches Gebirge	(2470 m, Galdhopiggen)
2	Zentralmassiv	(1886 m, Mont Dore)
3	Sudeten	(1603 m Schneekoppe)
4	Karpaten	(2655 m, Gerlsdorfer Spitze)
5	Apenninen	(2914 m, Gran Sasso d'Italia)
6	Balkan	(2376 m, Botev)
7	Pyrenäen	(3355 m, Mte Perdido)
8	Kaukasus	(5633 m, Elbrus)
9	Ural	(1894 m, Narodnaja)
10	Alpen	(4807 m, Montblanc)

c) Zusatzaufgabe: Erst lösen, wenn du bereits Aufgabe 2 bearbeitet hast.
Gib bei möglichst vielen der Gebirgen die höchste Erhebung mit Höhe und Namen an.

2 Löse die Rätselschnecke. Das zweite Wort beginnt mit dem letzten Buchstaben des ersten Wortes, ß = ss.

→ Gebirge im SO Frankreichs
→ Gebirge im O Frankreichs
→ „flacher" Nachbarstaat Deutschlands im W
→ nördlichster der baltischen Staaten
→ Bewohner Deutschlands
→ drittgrößte italienische Mittelmeerinsel
→ größtes europäisches Gebirge
→ nördlichster Punkt Europas
→ Gebirge zwischen Frankreich und Spanien
→ Stadt westlich des Vesuvs
→ Hauptstadt Portugals
→ Staat Skandinaviens mit reichen Ölvorkommen
→ Gewässer östlich von Großbritannien
→ Höchster Berg (5633 m) im Kaukasus
→ westlichster Punkt Irlands
→ Nachbarland zu Deutschland im Norden
→ Gebirgsbogen in Osteuropa
→ Gebiet unter 200 m im Norden Deutschlands
→ Landschaft in Kroatien (ähnlich einer Hunderasse mit vielen schwarzen Flecken)
→ „Lebkuchenstadt" in Bayern
→ höchster Berg Österreichs (Gegenteil von „Kleinklingel")

Name: Klasse: Datum:

 Klett   © Ernst Klett Verlag GmbH, Stuttgart 2010. | www.klett.de |
TERRA Kompetenzen entwickeln 2 GWG | ISBN: 978-3-12-104058-2 |
für: TERRA GWG 2 Gymnasium Baden-Württemberg | ISBN: 978-3-623-27821-6

1 Ausschneidebogen

	Alpen	größter Gebirgszug in Europa	Bodensee
See zwischen Deutschland und der Schweiz	Pyrenäen	Grenzgebirge zwischen Frankreich und Spanien	Ärmelkanal
Gewässer, das Großbritannien vom europäischen Festland trennt	Schwarzes Meer	Meer, das die Ostgrenze Bulgariens bildet	Ural
Grenzgebirge zwischen Europa und Asien	Adria	Teilbereich des Mittelmeeres an der Ostküste Italiens	Donau
großer Fluss, der durch Wien und Budapest fließt	Bottnischer Meerbusen	Teil der Ostsee zwischen Schweden und Finnland	Peipussee
Estland hat Anteil an diesem See	Bosporus	Wasserstraße zwischen Europa und Asien	Apenninen
Gebirgszug Italiens	Golf von Biscaya	Teil des Atlantiks im Westen Frankreichs	Karpaten
Gebirgszug in Rumänien	Ägäisches Meer	Griechische Inseln wie Milos oder Syros liegen in diesem Meer	Straße von Gibraltar
kleine Meerenge zwischen Spanien und Marokko	Rhône	Fluss mit Deltamündung im Golf von Lion	Skagerrak
Teil der Nordsee zwischen Jütland, Norwegen und Schweden	Kastilisches Scheidegebirge	zentral gelegenes Gebirge Spaniens	Balkan
Gebirgszug Bulgariens	Weichsel	längster Fluss Polens mit Mündung in der Danziger Bucht	Po
bedeutender Fluss Italiens mit Deltamündung im Adriatischen Meer	Plattensee	größter See Ungarns	

Name: Klasse: Datum:

© Ernst Klett Verlag GmbH, Stuttgart 2010. | www.klett.de |
TERRA Kompetenzen entwickeln 2 GWG | ISBN: 978-3-12-104058-2 |
für: TERRA GWG 2 Gymnasium Baden-Württemberg | ISBN: 978-3-623-27821-6

1▶ Ausschneidebogen

	London	Hauptstadt und Metropole, an der Themse gelegen	Paris
in dieser Hauptstadt steht der Eifelturm	Moskau	Hauptstadt in Europa mit der höchsten Einwohnerzahl	Madrid
Hauptstadt von Spanien	Budapest	Hauptstadt des Staates mit dem Länderkennzeichen H	Helsinki
Hauptstadt von Finnland	Lissabon	Hauptstadt an der Mündung des Flusses Tejo in den Atlantik	Warschau
Hauptstadt des größten östlichen Nachbarstaates	Rom	Hauptstadt des Landes, das wie ein Stiefel aussieht	Berlin
Hauptstadt mit dem Wahrzeichen Brandenburger Tor	Prag	Hauptstadt der Tschechischen Republik	Kiew
Hauptstadt der Ukraine	Dublin	Hauptstadt der Republik Irland	Kopenhagen
Dänische Hauptstadt am Öresund gelegen	Amsterdam	Hauptstadt der Niederlande, aber nicht Sitz der Regierung	Stockholm
Hauptstadt des Staates mit dem Länderkennzeichen S	Athen	eine der ältesten Städte Europas und zugleich Hauptstadt Griechenlands	Sofia
das politische, wirtschaftliche und kulturelle Zentrum Bulgariens	Valetta	Hauptstadt von Malta	Wien
Stadt an der Donau gelegen und zugleich Hauptstadt Österreichs	Bukarest	Hauptstadt von Rumänien	Bern
Bundesstadt und Sitz der Regierung in der Eidgenossenschaft	Riga	Hauptstadt des baltischen Staates Lettland	

Name: **Klasse:** **Datum:**

 Klett

© Ernst Klett Verlag GmbH, Stuttgart 2010. | www.klett.de |
TERRA Kompetenzen entwickeln 2 GWG | ISBN: 978-3-12-104058-2 |
für: TERRA GWG 2 Gymnasium Baden-Württemberg | ISBN: 978-3-623-27821-6

Bezüge zum Bildungsplan/Kompetenzübersicht
Die Schülerinnen und Schüler können …
M1 Basisinformationen aus Karten, Profilen, Klimadiagrammen […], Bildern und Texten erfassen. Geographische Darstellungsmöglichkeiten selbst anfertigen;
M2 Einfache (Modell)experimente durchführen und auswerten;
M3 Informationen sammeln, auswerten und Ergebnisse in angemessener Form präsentieren.
S8 Europa hinsichtlich physischer Gegebenheiten gliedern;
S9 Im europäischen Raum Zusammenhänge zwischen Klima, Nutzung und Pflanzenwelt einerseits und den Lebensbedingungen andererseits aufzeigen.

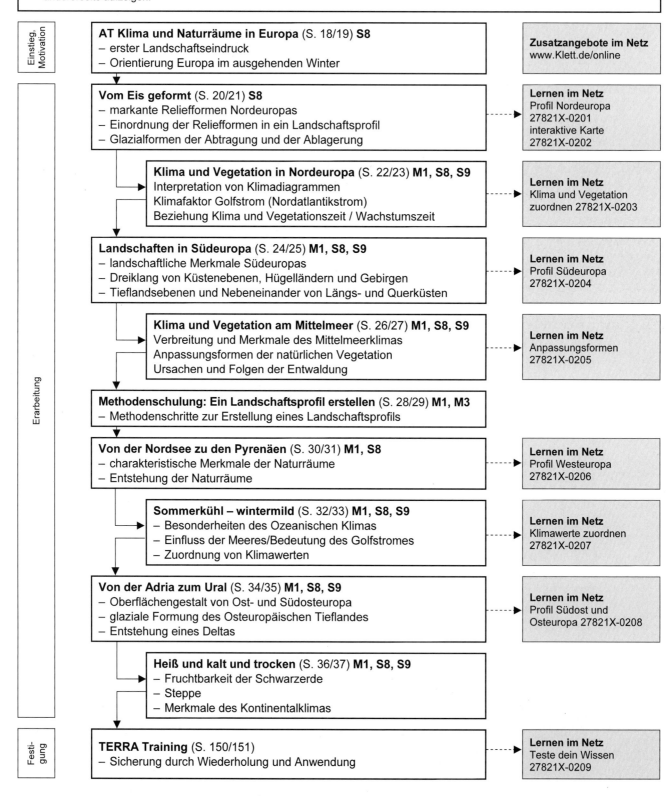

Einstieg, Motivation

AT Klima und Naturräume in Europa (S. 18/19) **S8**
– erster Landschaftseindruck
– Orientierung Europa im ausgehenden Winter

Zusatzangebote im Netz
www.Klett.de/online

Erarbeitung

Vom Eis geformt (S. 20/21) **S8**
– markante Reliefformen Nordeuropas
– Einordnung der Reliefformen in ein Landschaftsprofil
– Glazialformen der Abtragung und der Ablagerung

Lernen im Netz
Profil Nordeuropa
27821X-0201
interaktive Karte
27821X-0202

Klima und Vegetation in Nordeuropa (S. 22/23) **M1, S8, S9**
Interpretation von Klimadiagrammen
Klimafaktor Golfstrom (Nordatlantikstrom)
Beziehung Klima und Vegetationszeit / Wachstumszeit

Lernen im Netz
Klima und Vegetation
zuordnen 27821X-0203

Landschaften in Südeuropa (S. 24/25) **M1, S8, S9**
– landschaftliche Merkmale Südeuropas
– Dreiklang von Küstenebenen, Hügelländern und Gebirgen
– Tieflandsebenen und Nebeneinander von Längs- und Querküsten

Lernen im Netz
Profil Südeuropa
27821X-0204

Klima und Vegetation am Mittelmeer (S. 26/27) **M1, S8, S9**
Verbreitung und Merkmale des Mittelmeerklimas
Anpassungsformen der natürlichen Vegetation
Ursachen und Folgen der Entwaldung

Lernen im Netz
Anpassungsformen
27821X-0205

Methodenschulung: Ein Landschaftsprofil erstellen (S. 28/29) **M1, M3**
– Methodenschritte zur Erstellung eines Landschaftsprofils

Von der Nordsee zu den Pyrenäen (S. 30/31) **M1, S8**
– charakteristische Merkmale der Naturräume
– Entstehung der Naturräume

Lernen im Netz
Profil Westeuropa
27821X-0206

Sommerkühl – wintermild (S. 32/33) **M1, S8, S9**
– Besonderheiten des Ozeanischen Klimas
– Einfluss der Meeres/Bedeutung des Golfstromes
– Zuordnung von Klimawerten

Lernen im Netz
Klimawerte zuordnen
27821X-0207

Von der Adria zum Ural (S. 34/35) **M1, S8, S9**
– Oberflächengestalt von Ost- und Südosteuropa
– glaziale Formung des Osteuropäischen Tieflandes
– Entstehung eines Deltas

Lernen im Netz
Profil Südost und
Osteuropa 27821X-0208

Heiß und kalt und trocken (S. 36/37) **M1, S8, S9**
– Fruchtbarkeit der Schwarzerde
– Steppe
– Merkmale des Kontinentalklimas

Festigung

TERRA Training (S. 150/151)
– Sicherung durch Wiederholung und Anwendung

Lernen im Netz
Teste dein Wissen
27821X-0209

Inhaltsfelder mit Seitenangaben (Bezug zum Schülerbuch), fakultative Elemente sind grau hinterlegt
(M= Fachspezifische Methodenkompetenz, S = Sachkompetenz)

 Klett
© Ernst Klett Verlag GmbH, Stuttgart 2010. | www.klett.de |
TERRA Kompetenzen entwickeln 2 GWG | ISBN: 978-3-12-104058-2 |
für: TERRA GWG 2 Gymnasium Baden-Württemberg | ISBN: 978-3-623-27821-6

	stimmt	stimmt überwiegend	stimmt teilweise	stimmt nicht

1. Orientierungskompetenz

a) Ich kann die Lage der Meere und den Verlauf des Golfstroms (Nordatlantikstroms) in Europa auf einer Karte zeigen. (S. 22, 27, Atlas)				
b) Ich kann die Verbreitung von Klimazonen in Europa auf einer Karte zeigen. (S. 39, Atlas)				

2. Sachkompetenz

a) Ich kann in einem Landschaftsprofil, z.B. von Nordeuropa, die typischen Reliefformen benennen. (S. 20/21)				
b) Ich kann Klimabedingungen und vorherrschende Vegetation einander zuordnen. (S. 22/23)				
c) Ich kann typische Merkmale des Mittelmeerklimas nennen. (S. 26/27)				
d) Ich kann die Anpassungsformen der Pflanzen an das Mittelmeerklima nennen. (S. 27)				
e) Ich kann die Merkmale des Ozeanischen Klimas beschreiben. (S. 32/33)				
f) Ich kann wesentliche Merkmale des Kontinentalklimas erklären. (S. 36/37)				

3. Methodenkompetenz

a) Ich kann Klimadiagramme auswerten und einer entsprechenden Klimazone in Europa zuordnen. (S. 22–39)				
b) Ich kann die Schritte zum Erstellen eines Landschaftsprofils nennen. (S. 28/29)				

Name: **Klasse:**   **Datum:**

© Ernst Klett Verlag GmbH, Stuttgart 2010. | www.klett.de |
TERRA Kompetenzen entwickeln 2 GWG | ISBN: 978-3-12-104058-2 |
für: TERRA GWG 2 Gymnasium Baden-Württemberg | ISBN: 978-3-623-27821-6

1. Orientierungskompetenz

a) Ich kann die Lage der Meere und den Verlauf des Golfstroms (Nordatlantikstroms) in Europa auf einer Karte zeigen. (S. 22, 27, Atlas)

1 Ordne den genannten Meeren die richtige Lage zu und trage die Ziffer ein.   (___/4 P.)
I = Nordsee   II = Ostsee   III = Atlantik   IV = Mittelmeer

2 Zeichne den Verlauf des Golfstroms (Nordatlantikstroms) ein.   (___/2 P.)

b) Ich kann die Verbreitung von Klimazonen in Europa auf einer Karte zeigen. (S. 39, Atlas)

3 Trage in der Karte bei den Buchstaben A bis C die entsprechende Klimazone ein.   (___/3 P.)

4 Untergliedere das Klima der Zone B: 1 _____   (___/3 P.)

2 _____

3 _____

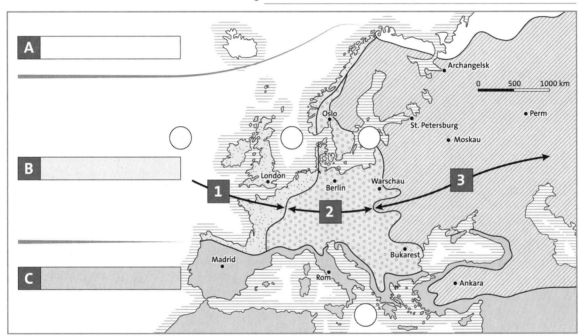

2. Sachkompetenz

a) Ich kann in einem Landschaftsprofil, z.B. von Nordeuropa, die typischen Reliefformen benennen. (S. 20/21)

5 Benenne die typischen Reliefformen 1 bis 4 im Landschaftsprofil von Nordeuropa.   (___/4 P.)

1 _____

2 _____

3 _____

4 _____

Name: **Klasse:**   **Datum:**

© Ernst Klett Verlag GmbH, Stuttgart 2010. | www.klett.de |
TERRA Kompetenzen entwickeln 2 GWG | ISBN: 978-3-12-104058-2 |
für: TERRA GWG 2 Gymnasium Baden-Württemberg | ISBN: 978-3-623-27821-6

b) Ich kann Klimabedingungen und vorherrschende Vegetation einander zuordnen. (S. 22/23)

6 Ordne folgende Inhalte richtig in die Tabelle ein: Obst/Gemüse/Weizen, 120 Tage, 240 Tage, Getreide/Kartoffeln/Rüben, Tundra, Fichten/Kiefern/ Birken/Ahorn, Sträucher/Gräser.

(__/7 P.)

Station	Grafische Breite	Temperatur	Vegetationszone	Pflanze	Vegetationszeit	Wachstumszone	Möglicher Anbau
Bergen	60°N	7,8°C	Nadelwald, Mischwald	Fichten, Kiefern, Birken, Ahorn …		140 Tage	
Turku	60°N	4,6°C	Nadelwald, Mischwald		170 Tage		
Vardø	70°N	1,6°C			125 Tage	90 Tage	–

c) Ich kann typische Merkmale des Mittelmeerklimas nennen. (S. 26/27)

7 Kreuze vier typische Merkmale für das Mittelmeerklima an.

(__/4 P.)

☐ Winterregen   ☐ milde Winter   ☐ Durchschnittstemperatur 6°C

☐ Sommerregen   ☐ steiles Gelände   ☐ hohe Sonnenstundensumme

☐ gemäßigte Sommer   ☐ heißer Herbst   ☐ kurze Übergangszeiten zwischen Frühjahr und Sommer

d) Ich kann die Anpassungsformen der Pflanzen an das Mittelmeerklima nennen. (S. 27)

8 Nenne fünf Anpassungsformen von Pflanzen an das Mittelmeerklima.

(__/5 P.)

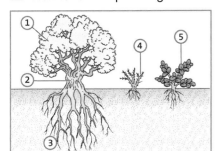

zu 1 _____

zu 2 _____

zu 3 _____

zu 4 _____

zu 5 _____

e) Ich kann die Merkmale des ozeanischen Klimas beschreiben. (S. 32/33)

9 Beschreibe die Merkmale des ozeanischen Klimas unter Verwendung des Klimadiagramms.

(__/6 P.)

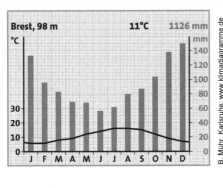

Brest, 98 m   11°C   1126 mm

B. Mühr, Karlsruhe, www.klimadiagramme.de

_____

_____

_____

_____

_____

_____

Name: _____   Klasse: _____   Datum: _____

 Klett

© Ernst Klett Verlag GmbH, Stuttgart 2010. | www.klett.de |
TERRA Kompetenzen entwickeln 2 GWG | ISBN: 978-3-12-104058-2 |
für: TERRA GWG 2 Gymnasium Baden-Württemberg | ISBN: 978-3-623-27821-6

Alle Rechte vorbehalten. Von dieser Druckvorlage ist die Vervielfältigung für den eigenen Unterrichtsgebrauch gestattet. Die Kopiergebühren sind abgegolten. Für Veränderungen durch Dritte übernimmt der Verlag keine Verantwortung.

f) Ich kann wesentliche Merkmale des Kontinentalklimas erklären. (S. 36/37)

10 Erkläre den Begriff Kontinentalklima.   (__/5 P.)

_____

_____

_____

_____

3. Methodenkompetenz

a) Ich kann Klimadiagramme auswerten und einer entsprechenden Klimazone in Europa zuordnen. (S. 22–39)

11 Werte die Klimadiagramme aus und ordne sie jeweils einer Klimazone zu.   (__/7 P.)

Vardø, 10 m   1,6°C   544 mm

Bernhard Mühr, Karlsruhe; www.klimadiagramme.de

Temp. Jahresdurchschnitt: _____

Kältester Monat: _____

Wärmster Monat: _____

Niederschlagsmenge: _____

Niederschlagsverteilung: _____

Rom, 3 m   15,4°C   755 mm

Bernhard Mühr, Karlsruhe; www.klimadiagramme.de

Temp. Jahresdurchschnitt: _____

Kältester Monat: _____

Wärmster Monat: _____

Niederschlagsmenge: _____

Niederschlagsverteilung: _____

b) Ich kann die Schritte zum Erstellen eines Landschaftsprofils nennen. (S. 28/29)

12 Nenne die Schritte zum Erstellen eines Landschaftsprofils.   (__/6 P.)

Schritt 1: _____   Schritt 2: _____

Schritt 3: _____   Schritt 4: _____

Schritt 5: _____   Schritt 6: _____

Name: _____   Klasse: _____   Datum: _____

© Ernst Klett Verlag GmbH, Stuttgart 2010. | www.klett.de |
TERRA Kompetenzen entwickeln 2 GWG | ISBN: 978-3-12-104058-2 |
für: TERRA GWG 2 Gymnasium Baden-Württemberg | ISBN: 978-3-623-27821-6

1. Orientierungskompetenz

a) Ich kann die Lage der Meere und den Verlauf des Golfstroms (Nordatlantikstroms) in Europa auf einer Karte zeigen. (S. 22, 27, Atlas)

1 Ordne den genannten Meeren die richtige Lage zu und trage die Ziffer ein. (__/4 P.)
I = Nordsee   II = Ostsee   III = Atlantik   IV = Mittelmeer

2 Zeichne den Verlauf des Golfstroms (Nordatlantikstroms) ein. (__/2 P.)

stimmt	6 Punkte	stimmt überwiegend	5 Punkte	stimmt teilweise	4 – 3 Punkte	stimmt nicht	2 – 0 Punkte

b) Ich kann die Verbreitung von Klimazonen in Europa auf einer Karte zeigen. (S. 39, Atlas)

3 Trage in der Karte bei den Buchstaben A bis C die entsprechende Klimazone ein. (__/3 P.)

4 Untergliedere das Klima der Zone B: 1 Seeklima oder ozeanisches Klima   (__/3 P.)

2 Übergangsklima

3 Landklima oder kontinentales Klima

stimmt	6 Punkte	stimmt überwiegend	5 Punkte	stimmt teilweise	4 – 3 Punkte	stimmt nicht	2 – 0 Punkte

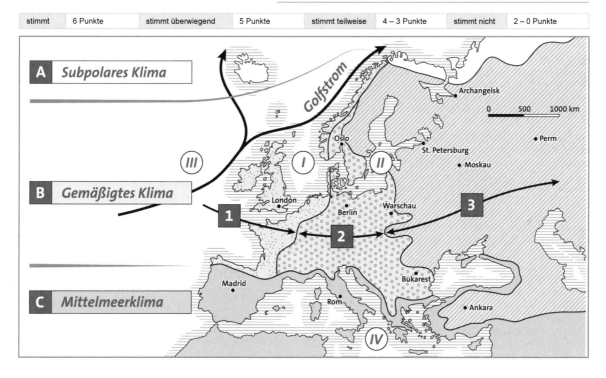

2. Sachkompetenz

a) Ich kann in einem Landschaftsprofil, z.B. von Nordeuropa, die typischen Reliefformen benennen. (S. 20/21)

5 Benenne die typischen Reliefformen 1 bis 4 im Landschaftsprofil von Nordeuropa. (__/4 P.)

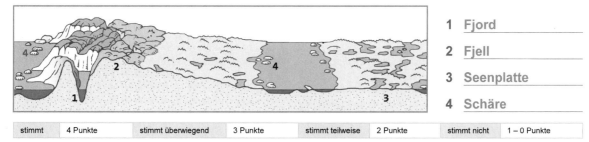

1 Fjord

2 Fjell

3 Seenplatte

4 Schäre

stimmt	4 Punkte	stimmt überwiegend	3 Punkte	stimmt teilweise	2 Punkte	stimmt nicht	1 – 0 Punkte

Name: Klasse: Datum:

© Ernst Klett Verlag GmbH, Stuttgart 2010. | www.klett.de |
TERRA Kompetenzen entwickeln 2 GWG | ISBN: 978-3-12-104058-2 |
für: TERRA GWG 2 Gymnasium Baden-Württemberg | ISBN: 978-3-623-27821-6

b) Ich kann Klimabedingungen und vorherrschende Vegetation einander zuordnen. (S. 22/23)

6 Ordne folgende Inhalte richtig in die Tabelle ein: Obst/Gemüse/Weizen, 120 Tage, 240 Tage, Getreide/Kartoffeln/Rüben, Tundra, Fichten/Kiefern/ Birken/Ahorn, Sträucher/Gräser.   (__/7 P.)

Station	Grafische Breite	Tempe-ratur	Vegetations-zone	Pflanze	Vegetations-zeit	Wachstums-zone	Möglicher Anbau
Bergen	60°N	7,8°C	Nadelwald, Mischwald	Fichten, Kiefern, Birken, Ahorn ...	240 Tage	140 Tage	Obst/Gemüse/ Weizen
Turku	60°N	4,6°C	Nadelwald, Mischwald	Fichten, Kiefern, Birken, Ahorn ...	170 Tage	120 Tage	Getreide/Kartoffeln/ Rüben
Vardø	70°N	1,6°C	Tundra	Sträucher/Gräser	125 Tage	90 Tage	–

stimmt	7 – 6 Punkte	stimmt überwiegend	5 Punkte	stimmt teilweise	4 Punkt	stimmt nicht	3 – 0 Punkte

c) Ich kann typische Merkmale des Mittelmeerklimas nennen. (S. 26/27)

7 Kreuze vier typische Merkmale für das Mittelmeerklima an.   (__/4 P.)

[x] Winterregen	[x] milde Winter	[ ] Durchschnittstemperatur 6°C
[ ] Sommerregen	[ ] steiles Gelände	[x] hohe Sonnenstundensumme
[ ] gemäßigte Sommer	[ ] heißer Herbst	[x] kurze Übergangszeiten zwischen Frühjahr und Sommer

stimmt	4 Punkte	stimmt überwiegend	3 Punkte	stimmt teilweise	2 Punkte	stimmt nicht	1 – 0 Punkte

d) Ich kann die Anpassungsformen der Pflanzen an das Mittelmeerklima nennen. (S. 27)

8 Nenne fünf Anpassungsformen von Pflanzen an das Mittelmeerklima.   (__/5 P.)

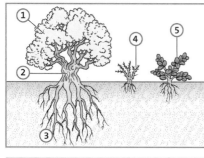

zu 1 kleine Blätter mit lederartiger Oberfläche

zu 2 dicke Baumrinden

zu 3 tief reichende Wurzeln

zu 4 Dornen oder Stacheln

zu 5 fleischige Blätter

stimmt	5 Punkte	stimmt überwiegend	4 Punkte	stimmt teilweise	3 Punkte	stimmt nicht	2 – 0 Punkte

e) Ich kann die Merkmale des ozeanischen Klimas beschreiben. (S. 32/33)

9 Beschreibe die Merkmale des ozeanischen Klimas unter Verwendung des Klimadiagramms.   (__/6 P.)

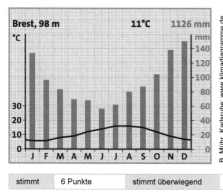

Brest, 98 m   11°C   1126 mm

Die Station Brest liegt im Westen der Bretagne (Frankreich). Die Jahresdurchschnittstemperatur liegt bei 11°C (1) und der Jahresniederschlag bei 1126 mm (1). Der mäßigende Einfluss des Meeres (1) zeigt sich in milden Wintertemperaturen (1) und kühlen Sommertemperaturen (1). Es gibt ein deutliches Niederschlagsmaximum im Winter (1).

B. Mühr, Karlsruhe, www.klimadiagramme.de

stimmt	6 Punkte	stimmt überwiegend	5 Punkte	stimmt teilweise	4 – 3 Punkte	stimmt nicht	2 – 0 Punkte

Name: Klasse: Datum:

 Klett

© Ernst Klett Verlag GmbH, Stuttgart 2010. | www.klett.de |
TERRA Kompetenzen entwickeln 2 GWG | ISBN: 978-3-12-104058-2 |
für: TERRA GWG 2 Gymnasium Baden-Württemberg | ISBN: 978-3-623-27821-6

f) Ich kann wesentliche Merkmale des Kontinentalklimas erklären. (S. 36/37)

10 Erkläre den Begriff Kontinentalklima.   (__/5 P.)

Unter Kontinentalklima versteht man ein Klima, das in größerer Entfernung zum Meer, im

Innern der Kontinente vorherrscht (1). Geringe Niederschläge (1) und wärmere Sommer (1)

sowie kalte Winter (1) kennzeichnen das Klima, da die ausgleichende Wirkung des Meeres

fehlt (1).

| stimmt | 5 Punkte | stimmt überwiegend | 4 Punkte | stimmt teilweise | 3 Punkte | stimmt nicht | 2 – 0 Punkte |

3. Methodenkompetenz

a) Ich kann Klimadiagramme auswerten und einer entsprechenden Klimazone in Europa zuordnen. (S. 22–39)

11 Werte die Klimadiagramme aus und ordne sie jeweils einer Klimazone zu.   (__/7 P.)

Subpolare Zone

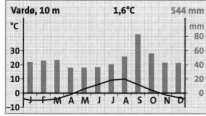

Bernhard Mühr, Karlsruhe; www.klimadiagramme.de

Temp. Jahresdurchschnitt: 1,6°C

Kältester Monat: Januar und Februar –5°C

Wärmster Monat: August 10°C

Niederschlagsmenge: 544 mm

Niederschlagsverteilung: Ganzjährig, Maximum im Sept.

Mittelmeerklima

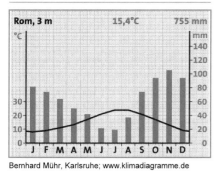

Bernhard Mühr, Karlsruhe; www.klimadiagramme.de

Temp. Jahresdurchschnitt: 15,4°C

Kältester Monat: Januar 9°C

Wärmster Monat: Juli/August 24°C

Niederschlagsmenge: 755 mm

Niederschlagsverteilung: Ganzjährig, Maximum im Nov.

| stimmt | 7 – 6 Punkte | stimmt überwiegend | 5 Punkte | stimmt teilweise | 4 Punkte | stimmt nicht | 3 – 0 Punkte |

Punkteverteilung: Auswertung der Klimadiagramme je richtiges Merkmal ½ P.

b) Ich kann die Schritte zum Erstellen eines Landschaftsprofils nennen. (S. 28/29)

12 Nenne die Schritte zum Erstellen eines Landschaftsprofils.   (__/6 P.)

Schritt 1: Karte auswählen   Schritt 2: Profillinie festlegen

Schritt 3: Profilschema anfertigen   Schritt 4: Profil zeichnen

Schritt 5: Landschaftsräume ausweisen   Schritt 6: Angaben aus der Karte

auswerten und übertragen

| stimmt | 6 Punkte | stimmt überwiegend | 5 Punkte | stimmt teilweise | 4 – 3 Punkte | stimmt nicht | 2 – 0 Punkte |

Name: Klasse: Datum:

© Ernst Klett Verlag GmbH, Stuttgart 2010. | www.klett.de |
TERRA Kompetenzen entwickeln 2 GWG | ISBN: 978-3-12-104058-2 |
für: TERRA GWG 2 Gymnasium Baden-Württemberg | ISBN: 978-3-623-27821-6

1 Klimazonen

a) Nenne die Abfolge der Klimazonen von Irland nach Russland bis zum Ural. (___/3 P.)

b) Nenne die Abfolge der Klimazonen vom Nordkap nach Sizilien. (___/3 P.)

2 Erkläre die Klimaveränderungen von West nach Ost in Europa wie in der Abbildung dargestellt. (___/8 P.)

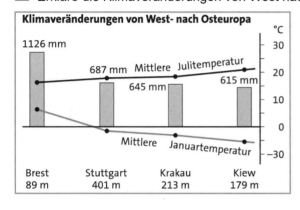

Klimaveränderungen von West- nach Osteuropa

1126 mm
687 mm Mittlere Julitemperatur
645 mm
615 mm
Mittlere Januartemperatur

Brest 89 m   Stuttgart 401 m   Krakau 213 m   Kiew 179 m

3 Ordne folgende Inhalte richtig in die Tabelle ein: 120 Tage, 140 Tage, 240 Tage, (___/4 P.)
Fichten/ Kiefern/Birken/Ahorn, Tundra, Sträucher/Gräser; Getreide/Kartoffeln/Rüben,
Obst/Gemüse/Weizen

Station	Grafische Breite	Tempe-ratur	Vegetations-zone	Pflanze	Vegetations-zeit	Wachstums-zone	Möglicher Anbau
Bergen	60°N	7,8°C	Nadelwald, Mischwald	Fichten, Kiefern, Birken, Ahorn ...			
Turku	60°N	4,6°C	Nadelwald, Mischwald		170 Tage		
Vardø	70°N	1,6°C			125 Tage	90 Tage	–

Name: **Klasse:**   **Datum:**

© Ernst Klett Verlag GmbH, Stuttgart 2010. | www.klett.de |
TERRA Kompetenzen entwickeln 2 GWG | ISBN: 978-3-12-104058-2 |
für: TERRA GWG 2 Gymnasium Baden-Württemberg | ISBN: 978-3-623-27821-6

4 Werte das Klimadiagramm aus.   (__/6 P.)

Name der Station: _____

Höhe: _____

Almeria, 21 m   18,2°C   199 mm

Bernhard Mühr, Karlsruhe; www.klimadiagramme.de

Jahrestemperatur: _____ °C

Höchste Temperatur: _____ °C im Monat _____

Niedrigste Temperatur: _____ °C im Monat _____

Jahresniederschlag: _____ mm

Höchster Niederschlag: _____ mm im Monat _____

Geringster Niederschlag: _____ mm im Monat _____

5 Vergleiche das Klima einer Station in Südspanien mit dem Deutschlands. Wähle aus folgenden   (__/5 P.)
Begriffen aus: feucht, trocken, heiß, sehr kalt, mäßig kalt, Mittelmeerklima, subpolares Klima, mild,
gemäßigtes Klima, Seeklima.

Südeuropäische Station   **Deutschland**

Sommer: _____ und _____   Sommer: _____ und _____

Winter: _____ und _____   Winter: _____ und _____

Klimazone: _____   Klimazone: _____

6 Die Pflanzen Südeuropas haben verschiedene Anpassungsstrategien, um mit den klimatischen   (__/5 P.)
Bedingungen zurecht zu kommen. Benenne die Strategien, die in der Abbildung gezeichnet sind.

zu 1 _____

zu 2 _____

zu 3 _____

zu 4 _____

zu 5 _____

Gesamtpunktzahl: (__ / 34 P.)

Note:

Name: _____   Klasse: _____   Datum: _____

© Ernst Klett Verlag GmbH, Stuttgart 2010. | www.klett.de |
TERRA Kompetenzen entwickeln 2 GWG | ISBN: 978-3-12-104058-2 |
für: TERRA GWG 2 Gymnasium Baden-Württemberg | ISBN: 978-3-623-27821-6

1 Klimazonen

a) Nenne die Abfolge der Klimazonen von Irland nach Russland bis zum Ural.   (__/3 P.)

Seeklima (Ozeanisches Klima), Übergangsklima, Landklima (Kontinentales Klima

bzw. Landklima)

b) Nenne die Abfolge der Klimazonen vom Nordkap nach Sizilien.   (__/3 P.)

Subpolares Klima, Gemäßigtes Klima, Mittelmeerklima

2 Erkläre die Klimaveränderungen von West nach Ost in Europa wie in der Abbildung dargestellt.   (__/8 P.)

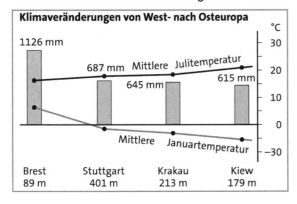

Das Klima ändert sich von West nach Ost

auf Grund der unterschiedlich weit

entfernten Lage zum Meer.

In Küstennähe: Seeklima mit kühlen

Sommern und milden Wintern, es ist

regenreich.

Im Übergangsbereich (Stuttgart, Krakau): Übergangsklima mit warmen Sommern und

kälteren Wintern; geringerer Niederschlag gegenüber der Küste.

Im Osten Europas: Landklima mit geringeren Niederschlägen, kalten Wintern und warmen

Sommern; kein mäßigender Ausgleich durch das Meer.

3 Ordne folgende Inhalte richtig in die Tabelle ein: 120 Tage, 140 Tage, 240 Tage,   (__/ 4 P.)
Fichten/ Kiefern/Birken/Ahorn, Tundra, Sträucher/Gräser; Getreide/Kartoffeln/Rüben,
Obst/Gemüse/Weizen

Station	Grafische Breite	Temperatur	Vegetationszone	Pflanze	Vegetationszeit	Wachstumszone	Möglicher Anbau
Bergen	60°N	7,8°C	Nadelwald, Mischwald	Fichten, Kiefern, Birken, Ahorn ...	240 Tage	140 Tage	Obst/Gemüse/ Weizen
Turku	60°N	4,6°C	Nadelwald, Mischwald	Fichten, Kiefern, Birken, Ahorn ...	170 Tage	120 Tage	Getreide/Kartoffeln/ Rüben
Vardø	70°N	1,6°C	Tundra	Sträucher/Gräser	125 Tage	90 Tage	–

Name: Klasse: Datum:

© Ernst Klett Verlag GmbH, Stuttgart 2010. | www.klett.de |
TERRA Kompetenzen entwickeln 2 GWG | ISBN: 978-3-12-104058-2 |
für: TERRA GWG 2 Gymnasium Baden-Württemberg | ISBN: 978-3-623-27821-6

4 Werte das Klimadiagramm aus.

(__/6 P.)

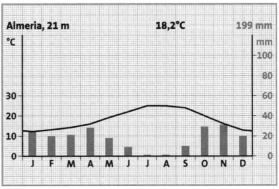

Almeria, 21 m   18,2°C   199 mm

Bernhard Mühr, Karlsruhe; www.klimadiagramme.de

Name der Station: _____Almeria_____

Höhe: ___21m___

Jahrestemperatur: ___18,2___ °C

Höchste Temperatur: ___26___ °C im Monat ___August___

Niedrigste Temperatur: ___12___ °C im Monat ___Januar___

Jahresniederschlag: ___199___ mm

Höchster Niederschlag: ___30___ mm im Monat ___November___

Geringster Niederschlag: ___1___ mm im Monat ___Juli/August___

5 Vergleiche das Klima einer Station in Südspanien mit dem Deutschlands. Wähle aus folgenden Begriffen aus: feucht, trocken, heiß, sehr kalt, mäßig kalt, Mittelmeerklima, subpolares Klima, mild, gemäßigtes Klima, Seeklima.

(__ / 5 P.)

Südeuropäische Station

Deutschland

Sommer: ___heiß___ und ___trocken___

Sommer: ___mäßig warm___ und ___feucht___

Winter: ___mild___ und ___feucht___

Winter: ___mäßig kalt___ und ___feucht___

Klimazone: ___Mittelmeerklima___

Klimazone: ___gemäßigtes Klima___

6 Die Pflanzen Südeuropas haben verschiedene Anpassungsstrategien, um mit den klimatischen Bedingungen zurecht zu kommen. Benenne die Strategien, die in der Abbildung gezeichnet sind.

(__/5 P.)

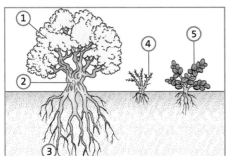

zu 1 ___kleine Blätter mit lederartiger Oberfläche___

zu 2 ___dicke Baumrinden___

zu 3 ___tief reichende Wurzeln___

zu 4 ___Dornen oder Stacheln___

zu 5 ___fleischige Blätter___

34–30 Punkte = 1
29–25 Punkte = 2
24–20 Punkte = 3
19–14 Punkte = 4
13–7 Punkte = 5
6–0 Punkte = 6

Gesamtpunktzahl: (__ / 34 P.)

Note:

Name: Klasse: Datum:

 Klett

© Ernst Klett Verlag GmbH, Stuttgart 2010. | www.klett.de |
TERRA Kompetenzen entwickeln 2 GWG | ISBN: 978-3-12-104058-2 |
für: TERRA GWG 2 Gymnasium Baden-Württemberg | ISBN: 978-3-623-27821-6

1 Klima und Vegetation in Nordeuropa

a) Gestalte die Karte zur Vegetation Nordeuropas mit Hilfe des Buches oder des Atlas farbig.

b) Ordne den drei Klimastationen (A, B, C) aus der Karte das richtige Klimadiagramm (a, b, c) und die Vegetation (d, e, f) richtig zu. Trage deine Ergebnisse in die Tabelle ein.

c) Erkläre deine Entscheidungen.

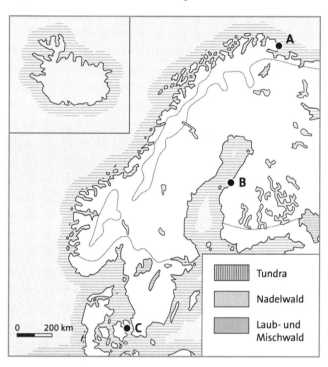

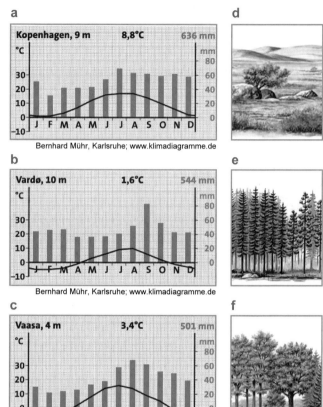

a Kopenhagen, 9 m   8,8°C   636 mm

Bernhard Mühr, Karlsruhe; www.klimadiagramme.de

b Vardø, 10 m   1,6°C   544 mm

Bernhard Mühr, Karlsruhe; www.klimadiagramme.de

c Vaasa, 4 m   3,4°C   501 mm

Bernhard Mühr, Karlsruhe; www.klimadiagramme.de

Klima-station	Klima-diagr.	Vege-tation	Erklärung
A			
B			
C			

2 Der Golfstrom

a) Zeichne den Golfstrom (Nordatlantikstrom) in die obige Karte ein.

b) Erkläre, weshalb selbst im tiefsten Winter die nördlichsten Häfen an der norwegischen Küste nicht zufrieren.

Name: Klasse: Datum:

© Ernst Klett Verlag GmbH, Stuttgart 2010. | www.klett.de |
TERRA Kompetenzen entwickeln 2 GWG | ISBN: 978-3-12-104058-2 |
für: TERRA GWG 2 Gymnasium Baden-Württemberg | ISBN: 978-3-623-27821-6

1▶ Klima und Vegetation in Nordeuropa

a) Gestalte die Karte zur Vegetation Nordeuropas mit Hilfe des Buches oder des Atlas farbig.

b) Ordne den drei Klimastationen (A, B, C) aus der Karte das richtige Klimadiagramm (a, b, c) und die Vegetation (d, e, f) richtig zu. Trage deine Ergebnisse in die Tabelle ein.

c) Erkläre deine Entscheidungen.

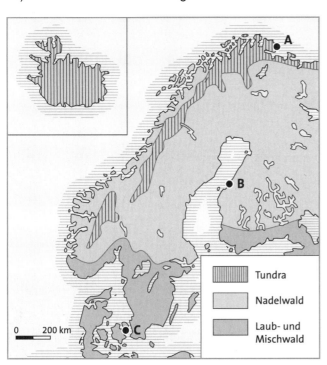

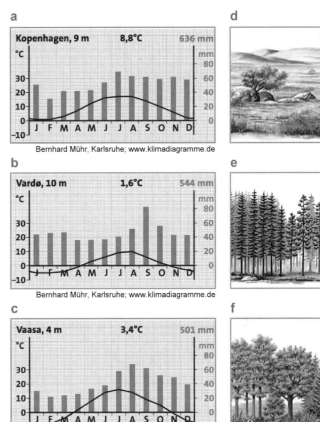

Bernhard Mühr, Karlsruhe; www.klimadiagramme.de

Klima-station	Klima-diagr.	Vege-tation	Erklärung
A	c	d	Das Klima von Vardø zeichnet sich durch sehr kalte Winter (ca. −5°C), kühle Sommer (10°C) und eine Jahrestemperaturen von ca. 1°C aus. In der Tundra wachsen nur noch Flechten, Moose, Gräser und Sträucher.
B	b	e	Die Station Vaasa liegt in der gemäßigten Klimazone bei sehr kalten Wintern, mäßig warmen Sommern und geringen Jahrestemperaturen (4°C). Bäume des nördlichen Nadelwaldes überstehen dieses Klima.
C	a	f	Die Station Kopenhagen liegt in der gemäßigten Klimazone. Hier herrschen mäßig kalte Winter, warme Sommer und mittlere Jahrestemperaturen von 8°C. Es ist das Gebiet des Laub- und Mischwaldes.

2▶ Der Golfstrom

a) Zeichne den Golfstrom (Nordatlantikstrom) in die obige Karte ein.

b) Erkläre, weshalb selbst im tiefsten Winter die nördlichsten Häfen an der norwegischen Küste nicht zufrieren.

Der Golfstrom ist ein warmer Meeresstrom, der aus tropischen Meeresgebieten in den Nordatlantik

strömt. An den Küsten Nordeuropas verhindert er das Zufrieren der Häfen.

Name: Klasse: Datum:

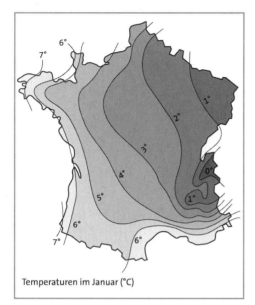

Temperaturen im Januar (°C)

1

a) Beschreibe die Temperaturverteilung im Januar.

_____

_____

_____

_____

b) Erkläre diese Verteilung.

_____

_____

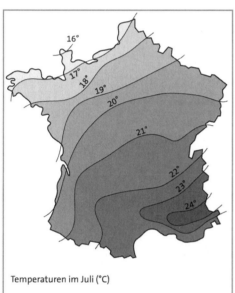

Temperaturen im Juli (°C)

2

a) Beschreibe die Temperaturverteilung im Juli.

_____

_____

b) Erkläre diese Verteilung.

_____

_____

_____

_____

_____

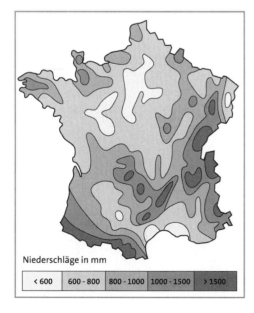

Niederschläge in mm

| < 600 | 600 - 800 | 800 - 1000 | 1000 - 1500 | > 1500 |

3

a) Beschreibe die Niederschlagsverteilung.

_____

_____

_____

b) Begründe die hohen Niederschläge.

_____

_____

_____

Name:　　　　　　　　　　　**Klasse:**　　　　　　　　　　**Datum:**

© Ernst Klett Verlag GmbH, Stuttgart 2010. | www.klett.de |
TERRA Kompetenzen entwickeln 2 GWG | ISBN: 978-3-12-104058-2 |
für: TERRA GWG 2 Gymnasium Baden-Württemberg | ISBN: 978-3-623-27821-6

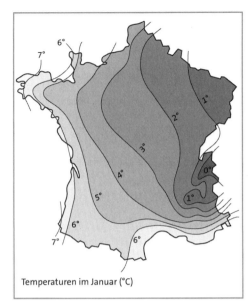

Temperaturen im Januar (°C)

1

a) Beschreibe die Temperaturverteilung im Januar.

Die Januartemperaturen nehmen mit der Entfernung vom

Meer ab. Im südlichen Teil herrschen höhere Temperaturen

(über 6 °C). Im Alpengebiet herrschen geringere

Temperaturen (0 °C).

b) Erkläre diese Verteilung.

Das Meer kühlt langsam ab und hat damit höhere

Wintertemperaturen als das Land. Deswegen sind

die küstennahen Gebiete wärmer als das Binnenland.

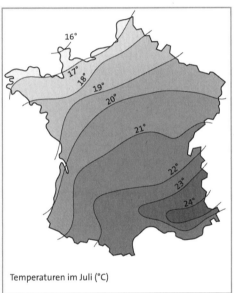

Temperaturen im Juli (°C)

2

a) Beschreibe die Temperaturverteilung im Juli.

Die Julitemperaturen nehmen von NW (16 °C) nach

SO (24 °C) zu.

b) Erkläre diese Verteilung.

Im Süden ist die Sonneneinstrahlung größer als im Norden.

Die Luft über dem Meer erwärmt sich langsamer als über

dem Land, da zur Erwärmung von Wasser eine größere

Wärmemenge erforderlich ist. So nehmen die Temperaturen

mit der Entfernung vom Meer zu (nur im Sommer).

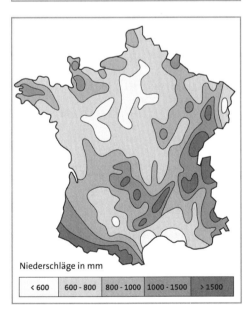

Niederschläge in mm

| < 600 | 600 - 800 | 800 - 1000 | 1000 - 1500 | > 1500 |

3

a) Beschreibe die Niederschlagsverteilung.

Die Tiefländer erhalten geringere Niederschläge.

(unter 800 mm), die Höhenlagen und die Küste höhere

Niederschläge (bis über 1500 mm).

b) Begründe die hohen Niederschläge.

An der Atlantikküste regnen sich feuchte Luftmassen vom

Meer her kommend ab. In den Gebirgen gibt es

Steigungsregen.

Name: Klasse: Datum:

 Klett

© Ernst Klett Verlag GmbH, Stuttgart 2010. | www.klett.de |
TERRA Kompetenzen entwickeln 2 GWG | ISBN: 978-3-12-104058-2 |
für: TERRA GWG 2 Gymnasium Baden-Württemberg | ISBN: 978-3-623-27821-6

Bezüge zum Bildungsplan/Kompetenzübersicht
Die Schülerinnen und Schüler können ...
M1 Basisinformationen aus Karten, Atlaskarten, Profilen, **Diagrammen**, Klimadiagrammen, Ablaufschemata, **Statistiken,** Modellen,
Bildern, Texten erfassen und einfache geographische Darstellungsmöglichkeiten selbst anfertigen;
S18 die Bedeutung des Tourismus als bestimmenden Wirtschaftsfaktor und die daraus resultierenden Probleme in einer ausgewählten
Region Europas darlegen;
Sw4 aus Ihrem Erfahrungsbereich die Beeinträchtigung ihrer Umwelt durch Produktion und Konsum erläutern;
Sw7 erste Eindrücke aus der Berufs- und Arbeitswelt wiedergeben.

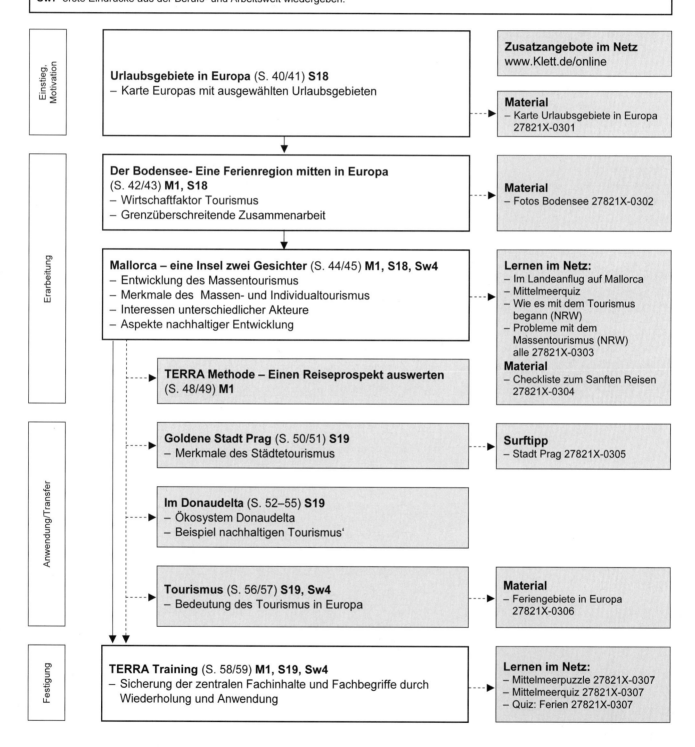

Einstieg, Motivation

Urlaubsgebiete in Europa (S. 40/41) **S18**
– Karte Europas mit ausgewählten Urlaubsgebieten

Zusatzangebote im Netz
www.Klett.de/online

Material
– Karte Urlaubsgebiete in Europa
27821X-0301

Erarbeitung

Der Bodensee- Eine Ferienregion mitten in Europa
(S. 42/43) **M1, S18**
– Wirtschaftfaktor Tourismus
– Grenzüberschreitende Zusammenarbeit

Material
– Fotos Bodensee 27821X-0302

Mallorca – eine Insel zwei Gesichter (S. 44/45) **M1, S18, Sw4**
– Entwicklung des Massentourismus
– Merkmale des Massen- und Individualtourismus
– Interessen unterschiedlicher Akteure
– Aspekte nachhaltiger Entwicklung

Lernen im Netz:
– Im Landeanflug auf Mallorca
– Mittelmeerquiz
– Wie es mit dem Tourismus
begann (NRW)
– Probleme mit dem
Massentourismus (NRW)
alle 27821X-0303
Material
– Checkliste zum Sanften Reisen
27821X-0304

TERRA Methode – Einen Reiseprospekt auswerten
(S. 48/49) **M1**

Anwendung/Transfer

Goldene Stadt Prag (S. 50/51) **S19**
– Merkmale des Städtetourismus

Surftipp
– Stadt Prag 27821X-0305

Im Donaudelta (S. 52–55) **S19**
– Ökosystem Donaudelta
– Beispiel nachhaltigen Tourismus'

Tourismus (S. 56/57) **S19, Sw4**
– Bedeutung des Tourismus in Europa

Material
– Feriengebiete in Europa
27821X-0306

Festigung

TERRA Training (S. 58/59) **M1, S19, Sw4**
– Sicherung der zentralen Fachinhalte und Fachbegriffe durch
Wiederholung und Anwendung

Lernen im Netz:
– Mittelmeerpuzzle 27821X-0307
– Mittelmeerquiz 27821X-0307
– Quiz: Ferien 27821X-0307

Inhaltsfelder mit Seitenangaben (Bezug zum Schülerbuch), fakultative Elemente sind grau hinterlegt
(M= Fachspezifische Methodenkompetenz, S = Sachkompetenz)

 Klett
© Ernst Klett Verlag GmbH, Stuttgart 2010. | www.klett.de |
TERRA Kompetenzen entwickeln 2 GWG | ISBN: 978-3-12-104058-2 |
für: TERRA GWG 2 Gymnasium Baden-Württemberg | ISBN: 978-3-623-27821-6

	stimmt	stimmt überwiegend	stimmt teilweise	stimmt nicht

1. Räumliche Orientierung

	stimmt	stimmt überwiegend	stimmt teilweise	stimmt nicht
a) Ich kann die Lage des Bodensees in Deutschland mit drei Lagemerkmalen beschreiben. (S. 42, Haack Atlas S. 16)				
b) Ich kann die Lage des Bodensees für die Anrainerstaaten mithilfe der Himmelsrichtungen beschreiben. (S. 42, Haack Atlas S. 16)				
c) Ich kann auf einer Europakarte den Staat Spanien und die Insel Mallorca benennen. (S. 1)				

2. Sachkompetenz

	stimmt	stimmt überwiegend	stimmt teilweise	stimmt nicht
a) Ich kann drei Angebote für Touristen in der Bodenseeregion nennen. (S. 42)				
b) Ich kann erklären, warum der Tourismus in einer Ferienregion ein wichtiger Wirtschaftsfaktor ist. (S. 42)				
c) Ich kann den Fachbegriff Massentourismus erklären. (S. 44, S. 220)				
d) Ich kann den Fachbegriff Individualtourist beschreiben. (S. 45)				
e) Ich kann den Zusammenhang zwischen Klima, Hoch- und Nebensaison auf Mallorca erklären. (S. 46)				
f) Ich kann drei Bereiche benennen, in denen der Tourismus auf Mallorca Probleme mit sich bringt. (S. 46/47)				
g) Ich kann ein typisches Merkmal des nachhaltigen Tourismus nennen. (S. 47, S. 55)				

Name: Klasse: Datum:

© Ernst Klett Verlag GmbH, Stuttgart 2010. | www.klett.de |
TERRA Kompetenzen entwickeln 2 GWG | ISBN: 978-3-12-104058-2 |
für: TERRA GWG 2 Gymnasium Baden-Württemberg | ISBN: 978-3-623-27821-6

3

Kompetenzcheck
Urlaubsgebiete in Europa

KT 03

1. Orientierungskompetenz

a) Ich kann die Lage des Bodensees in Deutschland mit drei Lagemerkmalen beschreiben.
(S. 42, Haack Atlas S. 16)

1 Beschreibe die Lage des Bodensees in Deutschland mit drei Lagemerkmalen. (__ / 3 P.)

_____

_____

_____

**b) Ich kann die Lage des Bodensees für die Anrainerstaaten mithilfe der Himmels-
richtungen beschreiben.** (S. 42, Haack Atlas S. 16)

2 Nenne die Staaten in ihrer räumlichen Lage, die neben Deutschland an den Bodensee grenzen. (__ / 4 P.)

_____

_____

c) Ich kann auf einer Europakarte den Staat Spanien und die Insel Mallorca benennen.
(S. 17 und 46)

3 Beschrifte den Staat Spanien sowie die Insel Mallorca. (__ / 2 P.)

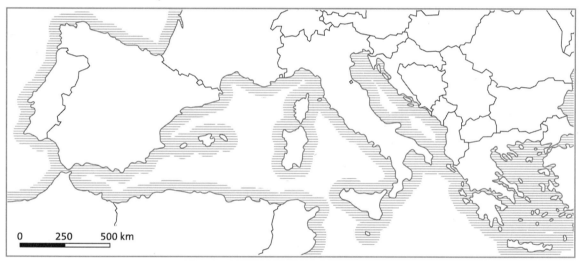

0   250   500 km

2. Sachkompetenz

a) Ich kann drei Angebote für Touristen in der Bodenseeregion nennen. (S. 42)

4 Nenne drei Angebote für Touristen in der Bodenseeregion. (__ / 3 P.)

_____

_____

_____

_____

_____

Name: **Klasse:**   **Datum:**

 Klett © Ernst Klett Verlag GmbH, Stuttgart 2010. | www.klett.de |
TERRA Kompetenzen entwickeln 2 GWG | ISBN: 978-3-12-104058-2 |
für: TERRA GWG 2 Gymnasium Baden-Württemberg | ISBN: 978-3-623-27821-6

40

b) Ich kann erklären, warum der Tourismus in einer Ferienregion ein wichtiger Wirtschaftsfaktor ist. (S. 42)

5 Erkläre, warum der Tourismus in einer Ferienregion ein wichtiger Wirtschaftsfaktor ist.　　　　(__ / 5 P.)

_____

_____

_____

_____

_____

_____

c) Ich kann den Fachbegriff Massentourismus erklären. (S. 44, S. 220)

6 Erkläre den Fachbegriff Massentourismus.　　　　(__ / 3 P.)

_____

_____

_____

f) Ich kann den Fachbegriff Individualtourist beschreiben. (S. 45)

7 Kreuze an, welche Beschreibung richtig oder falsch ist.　　　　(__ / 4 P.)

Ein Individualtourist ….	richtig	falsch
… ist immer in einer Reisegruppe unterwegs.		
… möchte das typische der Ferienlandschaft entdecken.		
… sucht die ursprüngliche Landschaft der Ferienregion.		
… liebt große Ferienanlagen.		

e) Ich kann den Zusammenhang zwischen Klima, Hoch- und Nebensaison auf Mallorca erklären. (S. 46)

8 Erkläre mithilfe der beiden Diagramme den Zusammenhang zwischen Klima, Hoch- und Nebensaison.　　　　(__ / 4 P.)

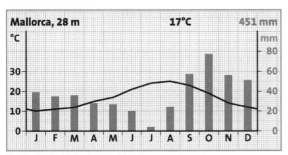

Bernhard Mühr, Karlsruhe; www.klimadiagramme.de

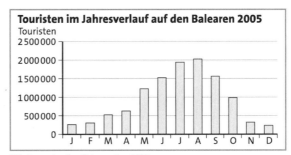

El turisme a les Illes Baleares-Aug 2005
Govern de les Illes Baleares, Conselleria de Turisme

Name: _____　　　Klasse: _____　　　Datum: _____

© Ernst Klett Verlag GmbH, Stuttgart 2010. | www.klett.de |
TERRA Kompetenzen entwickeln 2 GWG | ISBN: 978-3-12-104058-2 |
für: TERRA GWG 2 Gymnasium Baden-Württemberg | ISBN: 978-3-623-27821-6

_____

_____

_____

_____

_____

_____

_____

_____

_____

f) Ich kann drei Bereiche benennen, in denen der Tourismus auf Mallorca Probleme mit sich bringt. (S. 46/47)

9 Der Bürgermeister beschreibt die Vorteile, aber er benennt auch Probleme, die der Tourismus mit sich bringt. Benenne drei angesprochene Problembereiche aufgrund des Tourismus.   (__ / 3 P.)

> Touristen bringen viel Geld auf unseren Ort und dadurch sind viele Arbeitsplätze entstanden. Aber immer häufiger stellen sich die Einheimischen die Frage, wo sie ihre Häuser bauen sollen, wenn alles durch die Hotelanlagen bebaut wird. Die Landwirte außerhalb der Gemeinde klagen über Wassermangel, da in den Hotelanlagen sehr viel Wasser benötigt wird. Dieses Wasser muss auch gereinigt werden und das bringt natürlich auch Kosten für die Gemeinde.

Problembereich 1: _____

Problembereich 2: _____

Problembereich 3: _____

g) Ich kann ein typisches Merkmal des nachhaltigen Tourismus nennen. (S. 47, 55)

9 Verbinde die richtigen Aussagen miteinander.   (__ / 6 P.)

	… viele große Hotelanlagen errichtet werden.
	… die Naturlandschaft bewahrt und geschützt wird.
Unter nachhaltigem Tourismus versteht man eine Form des Tourismus, bei der …	… Maßnahmen zum Schutz des Wasserqualität und der Lebewesen im Meer getroffen werden.
	… das Wichtigste ein möglichst großer Gewinn der Hotelbesitzer ist.
	… die Interessen der Einwohner und Touristen berücksichtigt werden.
	… das Typische der Ferienregion erhalten wird.

Name: _____   Klasse: _____   Datum: _____

Klett © Ernst Klett Verlag GmbH, Stuttgart 2010. | www.klett.de |
TERRA Kompetenzen entwickeln 2 GWG | ISBN: 978-3-12-104058-2 |
für: TERRA GWG 2 Gymnasium Baden-Württemberg | ISBN: 978-3-623-27821-6

1. Orientierungskompetenz

a) Ich kann die Lage des Bodensees in Deutschland mit drei Lagemerkmalen beschreiben.
(S. 42, Haack Atlas S. 16)

▶ Beschreibe die Lage des Bodensees in Deutschland mit drei Lagemerkmalen. (__ /3 P.)

Der Bodensee liegt im Südwesten Deutschlands; im äußersten Südosten Baden-

Württembergs, im äußersten Südosten Bayerns; zwischen Singen und Lindau usw.

stimmt	3 Punkte	stimmt überwiegend	2 Punkte	stimmt teilweise	1 Punkt	stimmt nicht	0 Punkte

**b) Ich kann die Lage des Bodensees für die Anrainerstaaten mithilfe der Himmels-
richtungen beschreiben.** (S. 42, Haack Atlas S. 16)

▶ Nenne die Staaten in ihrer räumlichen Lage, die neben Deutschland an den Bodensee grenzen. (__ /4 P.)

Österreich (1) grenzt östlich an den Bodensee (1) und die Schweiz (1) grenzt südlich an

den Bodensee (1).

stimmt	4 Punkte	stimmt überwiegend	3 Punkte	stimmt teilweise	2 Punkte	stimmt nicht	1 – 0 Punkte

c) Ich kann auf einer Europakarte den Staat Spanien und die Insel Mallorca benennen.
(S. 17 und 46)

▶ Beschrifte den Staat Spanien sowie die Insel Mallorca. (__ /2 P.)

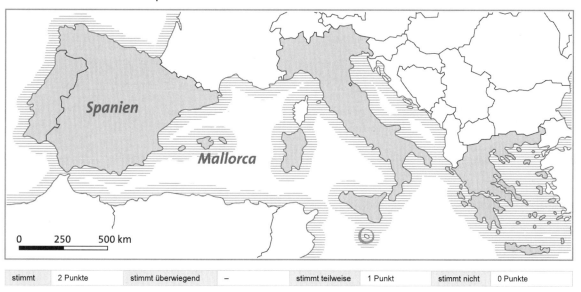

stimmt	2 Punkte	stimmt überwiegend	–	stimmt teilweise	1 Punkt	stimmt nicht	0 Punkte

2. Sachkompetenz

a) Ich kann drei Angebote für Touristen in der Bodenseeregion nennen. (S. 42)

▶ Nenne drei Angebote für Touristen in der Bodenseeregion. (__ /3 P.)

Auswahl möglicher Antworten: Sealife Center in Konstanz (1), die Bodenseeschifffahrt (1),

Strandbäder zum Baden im See (1), Campingplätze (1), Stadtführungen (1), Bregenzer

Festspiele (1)

stimmt	3 Punkte	stimmt überwiegend	2 Punkte	stimmt teilweise	1 Punkte	stimmt nicht	0 Punkte

Name: _____ Klasse: _____ Datum: _____

© Ernst Klett Verlag GmbH, Stuttgart 2010. | www.klett.de |
TERRA Kompetenzen entwickeln 2 GWG | ISBN: 978-3-12-104058-2 |
für: TERRA GWG 2 Gymnasium Baden-Württemberg | ISBN: 978-3-623-27821-6

43

b) Ich kann erklären, warum der Tourismus in einer Ferienregion ein wichtiger Wirtschaftsfaktor ist. (S. 42)

5 Erkläre, warum der Tourismus in einer Ferienregion ein wichtiger Wirtschaftsfaktor ist. (__/5 P.)

Durch den Tourismus entstehen unterschiedliche Betriebe (1), werden Arbeitsplätze (1)

geschaffen, und die Touristen geben Geld aus, um die Angebote zu nutzen (1). Außerdem

profitieren z.B. die ortansässigen Läden und Handwerker indirekt von den Touristen,

da sie mehr Kunden haben (1).

stimmt	5 Punkte	stimmt überwiegend	4 Punkte	stimmt teilweise	3 Punkte	stimmt nicht	2 – 0 Punkte

Punkteverteilung: Antwort im ganzen Satz/Sätzen ergibt 1 Punkt.

c) Ich kann den Fachbegriff Massentourismus erklären. (S. 44, S. 220)

6 Erkläre den Fachbegriff Massentourismus. (__/3 P.)

Von Massentourismus spricht man, wenn sehr viele Menschen (1) an einem Ort Urlaub

machen (1).

stimmt	3 Punkte	stimmt überwiegend	2 Punkte	stimmt teilweise	1 Punkte	stimmt nicht	0 Punkte

Punkteverteilung: Antwort im ganzen Satz/Sätzen ergibt 1 Punkt.

f) Ich kann den Fachbegriff Individualtourist beschreiben. (S. 45)

7 Kreuze an, welche Beschreibung richtig oder falsch ist. (__/4 P.)

Ein Individualtourist	richtig	falsch
... ist immer in einer Reisegruppe unterwegs.		X
... möchte das typische der Ferienlandschaft entdecken.	X	
... sucht die ursprüngliche Landschaft der Ferienregion.	X	
... liebt große Ferienanlagen.		X

stimmt	4 Punkte	stimmt überwiegend	3 Punkte	stimmt teilweise	2 Punkte	stimmt nicht	1 – 0 Punkte

Punkteverteilung: Für jede falsch angekreuzte Antwort 1 Punkt Abzug.

e) Ich kann den Zusammenhang zwischen Klima, Hoch- und Nebensaison auf Mallorca erklären. (S. 46)

8 Erkläre mithilfe der beiden Diagramme den Zusammenhang zwischen Klima, Hoch- und Nebensaison. (__/4 P.)

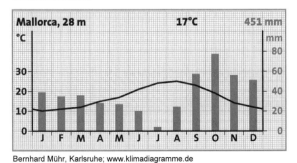

Bernhard Mühr, Karlsruhe; www.klimadiagramme.de

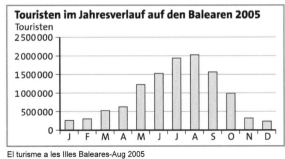

El turisme a les Illes Baleares-Aug 2005
Govern de les Illes Baleares, Conselleria de Turisme

Name: Klasse: Datum:

 Klett

© Ernst Klett Verlag GmbH, Stuttgart 2010. | www.klett.de |
TERRA Kompetenzen entwickeln 2 GWG | ISBN: 978-3-12-104058-2 |
für: TERRA GWG 2 Gymnasium Baden-Württemberg | ISBN: 978-3-623-27821-6

44

In den Monaten Mai bis September (1) ist auf Mallorca Hochsaison (1), weil dies die

besonders warmen bis heißen Monate mit Durchschnittstemperaturen von 18–20°C (1) und

trockenen (ariden) Monate auf Mallorca (1) sind. In den Monaten Oktober bis April (1) ist die

Nebensaison (1), weil die Durchschnittstemperaturen kühler (aber immer noch mild) bei

ca. 10°C (1) sind und in diesen Monaten zwischen 40 und 80 mm Regen (1) fällt.

stimmt	4 Punkte	stimmt überwiegend	3 Punkte	stimmt teilweise	2 Punkte	stimmt nicht	1 – 0 Punkte

Punkteverteilung: Für jede falsch angekreuzte Antwort 1 Punkt Abzug.

f) Ich kann drei Bereiche benennen, in denen der Tourismus auf Mallorca Probleme mit sich bringt. (S. 46/47)

9▶ Der Bürgermeister beschreibt die Vorteile, aber er benennt auch Probleme, die der Tourismus   (__ /3 P.)
mit sich bringt. Benenne drei angesprochene Problembereiche aufgrund des Tourismus.

> Touristen bringen viel Geld auf unseren Ort und dadurch sind viele Arbeitsplätze entstanden.
> Aber immer häufiger stellen sich die Einheimischen die Frage, wo sie ihre Häuser bauen sollen,
> wenn alles durch die Hotelanlagen bebaut wird. Die Landwirte außerhalb der Gemeinde klagen
> über Wassermangel, da in den Hotel-anlagen sehr viel Wasser benötigt wird. Dieses Wasser
> muss auch gereinigt werden und das bringt natürlich auch Kosten für die Gemeinde.

Problembereich 1: Konkurrenz um das Bauland (1)

Problembereich 2: Wasserknappheit (1)

Problembereich 3: Abwasser muss gereinigt werden (1) und verursacht Kosten (1)

stimmt	3 Punkte	stimmt überwiegend	2 Punkte	stimmt teilweise	1 Punkte	stimmt nicht	0 Punkte

g) Ich kann ein typisches Merkmal des nachhaltigen Tourismus nennen. (S. 47, 55)

9▶ Verbinde die richtigen Aussagen miteinander.   (__ /6 P.)

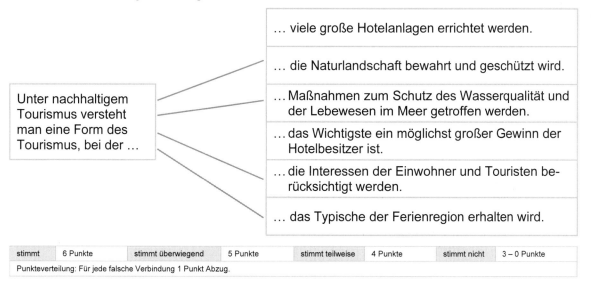

... viele große Hotelanlagen errichtet werden.

... die Naturlandschaft bewahrt und geschützt wird.

...Maßnahmen zum Schutz des Wasserqualität und der Lebewesen im Meer getroffen werden.

... das Wichtigste ein möglichst großer Gewinn der Hotelbesitzer ist.

... die Interessen der Einwohner und Touristen berücksichtigt werden.

... das Typische der Ferienregion erhalten wird.

Unter nachhaltigem Tourismus versteht man eine Form des Tourismus, bei der ...

stimmt	6 Punkte	stimmt überwiegend	5 Punkte	stimmt teilweise	4 Punkte	stimmt nicht	3 – 0 Punkte

Punkteverteilung: Für jede falsche Verbindung 1 Punkt Abzug.

Name: _____   Klasse: _____   Datum: _____

 Klett

© Ernst Klett Verlag GmbH, Stuttgart 2010. | www.klett.de |
TERRA Kompetenzen entwickeln 2 GWG | ISBN: 978-3-12-104058-2 |
für: TERRA GWG 2 Gymnasium Baden-Württemberg | ISBN: 978-3-623-27821-6

1 Nenne fünf europäische Inseln im Mittelmeer. (__ /5 P.)

_____

_____

2 Vervollständige den Satz sinnvoll. (__ /5 P.)

Der Tourismus ist ein bedeutender Wirtschafts-faktor in der Bodensee-region, weil …	… durch den Tourismus sehr hohe Einnahmen von über 10 Mrd. € erwirtschaftet werden.
	… es eine Nebensaison gibt.
	… viele Betriebe indirekt vom Tourismus profitieren, wie z.B. die Bäcker oder Metzger, bei denen die Hoteliers einkaufen.
	… man im See baden kann.
	… viele Betriebe wie z.B. die Bodenseeschifffahrt überwiegend durch den Tourismus ihre Einnahmen erzielen.

3 Erkläre mit Hilfe des Klimadiagramms, in welchen Monaten der Badetourismus auf Mallorca (__ / 4 P.)
seine Hochsaison hat.

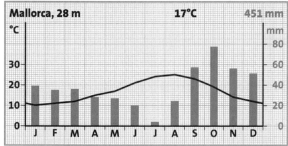

Bernhard Mühr, Karlsruhe; www.klimadiagramme.de

_____

_____

_____

_____

_____

4 Dieses Foto ist auf Mallorca aufgenommen worden.
Beschreibe zwei sichtbare
Auswirkungen des Massen-
tourismus. (__ /2 P.)

f1 online digitale Bildagentur, Frankfurt (Siepmann)

_____

_____

_____

_____

_____

Name: **Klasse:** **Datum:**

© Ernst Klett Verlag GmbH, Stuttgart 2010. | www.klett.de |
TERRA Kompetenzen entwickeln 2 GWG | ISBN: 978-3-12-104058-2 |
für: TERRA GWG 2 Gymnasium Baden-Württemberg | ISBN: 978-3-623-27821-6

5 Der Text beschreibt negative und positive Folgen des Massentourismus auf Mallorca aus der Sicht einer Umweltexpertin.

> **Umweltexpertin:** Auf unserer Insel ist der Tourismus die wichtigste Einnahmequelle und die meisten leben direkt oder indirekt vom Tourismus. Doch die Grenzen der Belastbarkeit sind erreicht. Der Wasserverbrauch ist sehr hoch, der Grundwasserspiegel sinkt und das Wasser in den künstlich angelegten Wasserspeichern reicht nicht mehr zur Versorgung aus. Auch die Abwassermengen sind gigantisch und wir benötigen immer neue Kläranlagen, damit endlich alles Abwasser gereinigt wird. Immer mehr freie Naturlandschaft wird mit Häusern überbaut und Straßen. Hier muss dringend ein Baustopp ausgesprochen werden.

a) Nenne drei negativen Folgen des Massentourismus für die Umwelt, die im Text angeführt werden.　　　　　　　　　　　　　　　　　　　　　(___/3 P.)

b) Erkläre Auswirkungen für eine dieser negativen Folgen für die Umwelt.　　(___/3 P.)

Gesamtpunktzahl: (___ / 22 P.)

Note:

Name:　　　　　　　　　　Klasse:　　　　　　　　Datum:

 Klett

© Ernst Klett Verlag GmbH, Stuttgart 2010. | www.klett.de |
TERRA Kompetenzen entwickeln 2 GWG | ISBN: 978-3-12-104058-2 |
für: TERRA GWG 2 Gymnasium Baden-Württemberg | ISBN: 978-3-623-27821-6

1 Nenne fünf europäische Inseln im Mittelmeer. (__/5 P.)

Mallorca, Korsika, Sardinien, Sizilien, Kreta, Zypern, Menorca, Ibiza, Malta

---

2 Vervollständige den Satz sinnvoll. (__/5 P.)

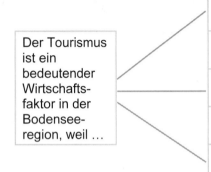

Der Tourismus ist ein bedeutender Wirtschaftsfaktor in der Bodenseeregion, weil …

… durch den Tourismus sehr hohe Einnahmen von über 10 Mrd. € erwirtschaftet werden.

… es eine Nebensaison gibt.

… viele Betriebe indirekt vom Tourismus profitieren, wie z.B. die Bäcker oder Metzger, bei denen die Hoteliers einkaufen.

… man im See baden kann.

… viele Betriebe wie z.B. die Bodenseeschifffahrt überwiegend durch den Tourismus ihre Einnahmen erzielen.

3 Erkläre mit Hilfe des Klimadiagramms, in welchen Monaten der Badetourismus auf Mallorca seine Hochsaison hat. (__ / 4 P.)

Punkteverteilung: 1 Punkt für die Erklärung im vollständigen Satz.

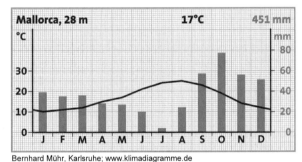

Mallorca, 28 m   17°C   451 mm

Bernhard Mühr, Karlsruhe; www.klimadiagramme.de

Der Badetourismus hat seine Hochsaison

in den Monaten Mai bis September (1),

weil die Temperaturen ausreichend hoch

sind (1) und keine oder im September nur

wenige Niederschläge auftreten. (1)

---

4 Dieses Foto ist auf Mallorca aufgenommen worden. Beschreibe zwei sichtbare Auswirkungen des Massentourismus. (__/2 P.)

Der Massentourismus

bewirkt, dass große Hotels

und Ferienanlagen

entstehen (1). Die Natur-

landschaft ist weitgehend

überbaut. (1)

f1 online digitale Bildagentur, Frankfurt (Siepmann)

Name: Klasse: Datum:

5 Der Text beschreibt negative und positive Folgen des Massentourismus auf Mallorca aus der Sicht einer Umweltexpertin.

Umweltexpertin: Auf unserer Insel ist der Tourismus die wichtigste Einnahmequelle und die meisten leben direkt oder indirekt vom Tourismus. Doch die Grenzen der Belastbarkeit sind erreicht. Der Wasserverbrauch ist sehr hoch, der Grundwasserspiegel sinkt und das Wasser in den künstlich angelegten Wasserspeichern reicht nicht mehr zur Versorgung aus. Auch die Abwassermengen sind gigantisch und wir benötigen immer neue Kläranlagen, damit endlich alles Abwasser gereinigt wird. Immer mehr freie Naturlandschaft wird mit Häusern überbaut und Straßen. Hier muss dringend ein Baustopp ausgesprochen werden.

a) Nenne drei negativen Folgen des Massentourismus für die Umwelt, die im Text angeführt werden.

(___/3 P.)

Hoher Wasserverbrauch, große Abwassermengen, hoher Flächenverbrauch, sinkender

Grundwasserspiegel

b) Erkläre Auswirkungen für eine dieser negativen Folgen für die Umwelt.

(___/3 P.)
Punkteverteilung: 1 Punkt für die Erklärung im vollständigen Satz.

Wasserverbrauch: Bei einem zu hohen Wasserverbrauch sinkt der Grundwasserspiegel. (1)

Die Pflanzen und Wildtiere werden geschädigt oder gehen ein. (1)

Abwasser: Das Abwasser kommt ungereinigt in das Erdreich, Flüsse oder das Meer. (1)

Das ganze Ökosystem wird beschädigt. (1)

Flächenverbrauch: Ein zu hoher Flächenverbrauch führt zum Verlust der

Naturlandschaft. (1) Dort lebende Pflanzen und Tiere verlieren ihren Lebensraum. (1)

22–19 Punkte = 1
18–16 Punkte = 2
15–13 Punkte = 3
12–10 Punkte = 4
9–5 Punkte = 5
4–0 Punkte = 6

Gesamtpunktzahl: (___ / 22 P.)

Note:

Name:　　　　　　　　　　　Klasse:　　　　　　　　　　Datum:

 Klett

© Ernst Klett Verlag GmbH, Stuttgart 2010. | www.klett.de |
TERRA Kompetenzen entwickeln 2 GWG | ISBN: 978-3-12-104058-2 |
für: TERRA GWG 2 Gymnasium Baden-Württemberg | ISBN: 978-3-623-27821-6

1 Der Tourismus hat Sonnen- und Schattenseiten. Benenne ausgehend von Text 11 auf Seite 46 oder auf www.Klett.de/online > Online-Link 27821X-0308 „Sonnenseite und Schattenseite" des Tourismus.

Sonnenseite	Schattenseite
Arbeitsplätze	
Einnahmen	
Landschaft und Umwelt	
Wasser	

2 Nachhaltiger oder sanfter Tourismus

Der nachhaltige oder sanfte Tourismus versucht einen Ausgleich zu schaffen zwischen den wirtschaftlichen Interessen, den Bedürfnissen der Menschen sowie Natur und Umwelt. Dies ist keine leichte Aufgabe. Calvia hat sich auf den Weg gemacht.

a) Ordne die Maßnahmen den unterschiedlichen Bereichen zu.

b) Diskutiert, wie die einzelnen Maßnahmen miteinander in Beziehung stehen.

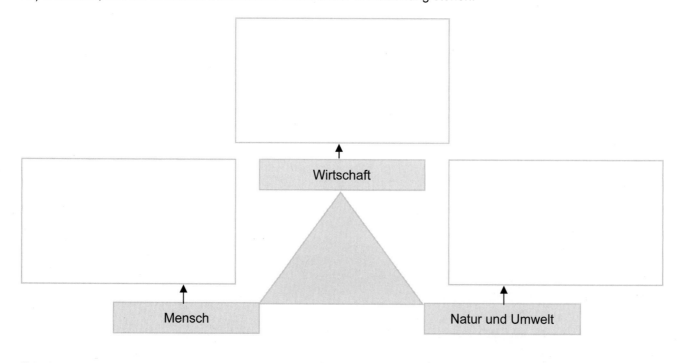

Name: _____   Klasse: _____   Datum: _____

 Klett © Ernst Klett Verlag GmbH, Stuttgart 2010. | www.klett.de |
TERRA Kompetenzen entwickeln 2 GWG | ISBN: 978-3-12-104058-2 |
für: TERRA GWG 2 Gymnasium Baden-Württemberg | ISBN: 978-3-623-27821-6

1 Der Tourismus hat Sonnen- und Schattenseiten. Benenne ausgehend von Text 11 auf Seite 46 oder auf www.Klett.de/online > Online-Link 27821X-0308 „Sonnenseite und Schattenseite" des Tourismus.

Sonnenseite	Schattenseite
Arbeitsplätze	
– viele Arbeitsplätze im Baugewerbe, Handel, Hotels und anderen Dienstleistungsbetreiben	– Arbeitsplätze in Landwirtschaft und Fischerei gehen verloren
Einnahmen	
– hohe Einnahmen	– hohe Kosten durch notwendige Bauprojekte wie Straßen, Kläranlagen …
Landschaft und Umwelt	
– schöne Hotelanlagen, gute Straßen und Anlage von Kläranlagen	– Überbauung der Landschaft mit Straßen Hotels, … daher immer weniger Naturlandschaft – hohe Müllmengen und Luftschadstoffe
Wasser	
– Anbau von Lebensmitteln – Anlage von Golfplätzen, Gärten – Swimmingpools	– Wasserknappheit

2 **Nachhaltiger oder sanfter Tourismus**
Der nachhaltige oder sanfte Tourismus versucht einen Ausgleich zu schaffen zwischen den wirtschaftlichen Interessen, den Bedürfnissen der Menschen sowie Natur und Umwelt. Dies ist keine leichte Aufgabe. Calvia hat sich auf den Weg gemacht.

a) Ordne die Maßnahmen den unterschiedlichen Bereichen zu.

b) Diskutiert, wie die einzelnen Maßnahmen miteinander in Beziehung stehen.

– keine direkten Maßnahmen

Wirtschaft

– Anlage von Fahrradwegen
– Anlage von Grünzonen
– Ausbau des öffentlichen Nahverkehrs

– Sprengung von Hotels
– Anlage von Grünzonen
– Verhinderung von Bebauung
– Bau einer Kläranlage
– Schutz der Seegraswiesen - Ankerverbot

Mensch

Natur und Umwelt

Name: Klasse: Datum:

© Ernst Klett Verlag GmbH, Stuttgart 2010. | www.klett.de |
TERRA Kompetenzen entwickeln 2 GWG | ISBN: 978-3-12-104058-2 |
für: TERRA GWG 2 Gymnasium Baden-Württemberg | ISBN: 978-3-623-27821-6

1 Trage auf der Karte ein:

Bodensee – blau;

Konstanz, Friedrichhafen, Bregenz – rot;

Deutschland, Schweiz, Österreich – schwarz;

Schwarzwald, Oberschwaben, Schwäbische Alb – braun

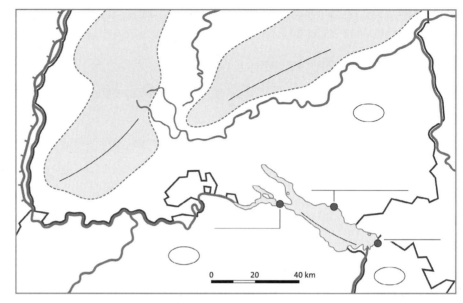

2 Lisa unternimmt mit Ihren Eltern viel am Bodensee. Was würdest du gern ebenfalls unternehmen? Wähle dir drei Aktivitäten aus:

3 Der Tourismus ist ein bedeutender Wirtschaftsfaktor.
Ergänze das Schema mit Hilfe des Textes Seite 42 oder www.Klett.de/online > Online Link 27821X-0309 und eigenen Überlegungen.

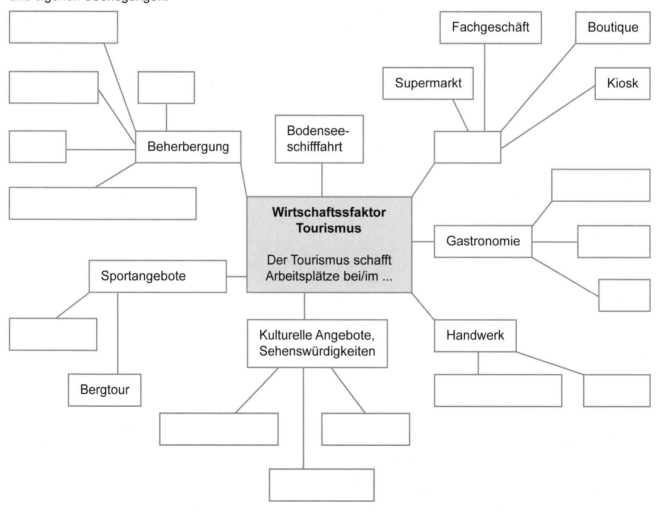

Name: Klasse: Datum:

 © Ernst Klett Verlag GmbH, Stuttgart 2010. | www.klett.de |
TERRA Kompetenzen entwickeln 2 GWG | ISBN: 978-3-12-104058-2 |
für: TERRA GWG 2 Gymnasium Baden-Württemberg | ISBN: 978-3-623-27821-6

1 Trage auf der Karte ein:

Bodensee – blau;

Konstanz, Friedrichhafen,
Bregenz – rot;

Deutschland, Schweiz,
Österreich – schwarz;

Schwarzwald,
Oberschwaben,
Schwäbische Alb – braun

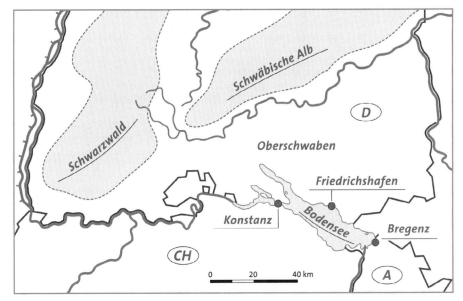

2 Lisa unternimmt mit Ihren Eltern viel am Bodensee. Was würdest du gern ebenfalls unternehmen?
Wähle dir drei Aktivitäten aus:

z.B. Besuch im Sea Life Center, Besuch im Strandbad, Schifffahrt, Ausflug auf den Pfänder ...

3 Der Tourismus ist ein bedeutender Wirtschaftsfaktor.
Ergänze das Schema mit Hilfe des Textes Seite 42 oder www.Klett.de/online > Online Link 27821X-0309
und eigenen Überlegungen.

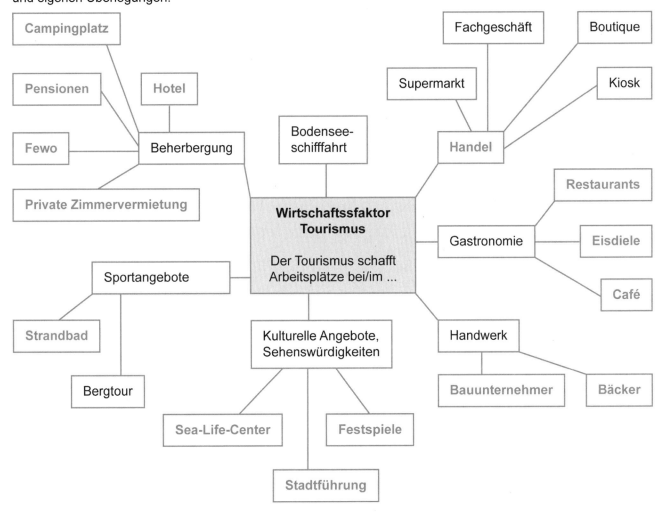

Name: Klasse: Datum:

© Ernst Klett Verlag GmbH, Stuttgart 2010. | www.klett.de |
TERRA Kompetenzen entwickeln 2 GWG | ISBN: 978-3-12-104058-2 |
für: TERRA GWG 2 Gymnasium Baden-Württemberg | ISBN: 978-3-623-27821-6

Bezüge zum Bildungsplan/Kompetenzübersicht
Die Schülerinnen und Schüler können…
M1 Basisinformationen aus Karten, Profilen, Klimadiagrammen […], Bildern und Texten erfassen. Geographische Darstellungsmöglichkeiten selbst anfertigen;
M2 Einfache (Modell)experimente durchführen und auswerten;
M3 Informationen sammeln, auswerten und Ergebnisse in angemessener Form präsentieren;
S8 Europa hinsichtlich physischer, politischer und kultureller Gegebenheiten gliedern und über ein gefestigtes Orientierungsraster Europas verfügen;
S10 exemplarisch Naturereignisse und Naturkatastrophen in ihren Auswirkungen als Bedrohung der Menschen beschreiben.

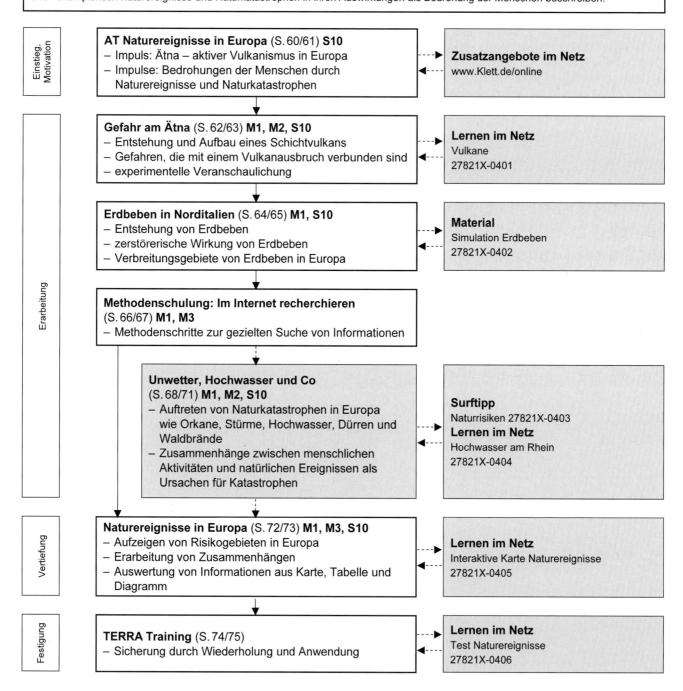

Einstieg, Motivation

AT Naturereignisse in Europa (S. 60/61) **S10**
– Impuls: Ätna – aktiver Vulkanismus in Europa
– Impulse: Bedrohungen der Menschen durch Naturereignisse und Naturkatastrophen

Zusatzangebote im Netz
www.Klett.de/online

Erarbeitung

Gefahr am Ätna (S. 62/63) **M1, M2, S10**
– Entstehung und Aufbau eines Schichtvulkans
– Gefahren, die mit einem Vulkanausbruch verbunden sind
– experimentelle Veranschaulichung

Lernen im Netz
Vulkane
27821X-0401

Erdbeben in Norditalien (S. 64/65) **M1, S10**
– Entstehung von Erdbeben
– zerstörerische Wirkung von Erdbeben
– Verbreitungsgebiete von Erdbeben in Europa

Material
Simulation Erdbeben
27821X-0402

Methodenschulung: Im Internet recherchieren
(S. 66/67) **M1, M3**
– Methodenschritte zur gezielten Suche von Informationen

Unwetter, Hochwasser und Co
(S. 68/71) **M1, M2, S10**
– Auftreten von Naturkatastrophen in Europa wie Orkane, Stürme, Hochwasser, Dürren und Waldbrände
– Zusammenhänge zwischen menschlichen Aktivitäten und natürlichen Ereignissen als Ursachen für Katastrophen

Surftipp
Naturrisiken 27821X-0403
Lernen im Netz
Hochwasser am Rhein
27821X-0404

Vertiefung

Naturereignisse in Europa (S. 72/73) **M1, M3, S10**
– Aufzeigen von Risikogebieten in Europa
– Erarbeitung von Zusammenhängen
– Auswertung von Informationen aus Karte, Tabelle und Diagramm

Lernen im Netz
Interaktive Karte Naturereignisse
27821X-0405

Festigung

TERRA Training (S. 74/75)
– Sicherung durch Wiederholung und Anwendung

Lernen im Netz
Test Naturereignisse
27821X-0406

Inhaltsfelder mit Seitenangaben (Bezug zum Schülerbuch), fakultative Elemente sind grau hinterlegt
(M= Fachspezifische Methodenkompetenz, S = Sachkompetenz)

 Klett
© Ernst Klett Verlag GmbH, Stuttgart 2010. | www.klett.de |
TERRA Kompetenzen entwickeln 2 GWG | ISBN: 978-3-12-104058-2 |
für: TERRA GWG 2 Gymnasium Baden-Württemberg | ISBN: 978-3-623-27821-6

	stimmt	stimmt überwiegend	stimmt teilweise	stimmt nicht

1. Orientierungskompetenz

a) Ich kann die Lage der Risikogebiete in Europa auf einer Karte bestimmen. (S. 72/73, Atlas)				

2. Sachkompetenz

a) Ich kann den Aufbau eines Schichtvulkans skizzieren. (S. 62/63)				
b) Ich kann mindestens vier Gefahren durch den Ausbruch eines Vulkans nennen. (S. 62/63)				
c) Ich kann die Entstehung von Erdbeben erklären. (S. 64/65)				
d) Ich kann Faktoren zuordnen, welche Hochwassersituationen begünstigen. (S. 68/69)				
e) Ich kann Ursachen und Folgen von Dürren aufzeigen. (S. 70)				

3. Methodenkompetenz

a) Ich kann die Schritte zur gezielten Recherche im Internet nennen. (S. 66/67)				

Name: **Klasse:**   **Datum:**

© Ernst Klett Verlag GmbH, Stuttgart 2010. | www.klett.de |
TERRA Kompetenzen entwickeln 2 GWG | ISBN: 978-3-12-104058-2 |
für: TERRA GWG 2 Gymnasium Baden-Württemberg | ISBN: 978-3-623-27821-6

1. Orientierungskompetenz

a) Ich kann die Lage der Risikogebiete in Europa auf einer Karte bestimmen. (S. 72/73, Atlas)

1▶ Ergänze die Legende zur Karte „Naturereignisse in Europa"

(___/ 12 P.)

Legende:
- ⊚ Erdbebengebiete
- ▲ Vulkane
- ⌄ Dürregefahr

Vulkane
- [ ] Ätna
- [ ] Stromboli
- [ ] Hekla
- [ ] Eyjafjallajökull

Erdbebengebiete
- [ ] Norditalien
- [ ] Süditalien
- [ ] Peloponnes
- [ ] Nordwest-Türkei

Gefahr von Dürren
- [ ] Südspanien
- [ ] Süditalien
- [ ] Südgriechenland
- [ ] Östl. Adriaküste

2. Sachkompetenz

a) Ich kann den Aufbau eines Schichtvulkans skizzieren. (S. 62/63)

2▶ Zeichne einen Schichtvulkan. Verwende für die Beschriftung folgende Begriffe: Schlot, Krater, Herd mit Magma, Lavaschicht, Ascheschicht, Aschewolke.

(___/6 P.)

Name: Klasse: Datum:

© Ernst Klett Verlag GmbH, Stuttgart 2010. | www.klett.de |
TERRA Kompetenzen entwickeln 2 GWG | ISBN: 978-3-12-104058-2 |
für: TERRA GWG 2 Gymnasium Baden-Württemberg | ISBN: 978-3-623-27821-6

56

Alle Rechte vorbehalten. Von dieser Druckvorlage ist die Vervielfältigung für den
eigenen Unterrichtsgebrauch gestattet. Die Kopiergebühren sind abgegolten.
Für Veränderungen durch Dritte übernimmt der Verlag keine Verantwortung.

b) Ich kann mindestens vier Gefahren durch den Ausbruch eines Vulkans nennen.
(S. 62/63)

3▸ Nenne je zwei Gefahren für die Menschen bei dem Ausbruch eines Vulkans durch Lava und
Asche.

(__/4 P.)

Lava: _____

Asche: _____

c) Ich kann die Entstehung von Erdbeben erklären. (S. 64/65)

4▸ Erkläre die Entstehung von Erdbeben mithilfe der beiden Abbildungen.

(__/4 P.)

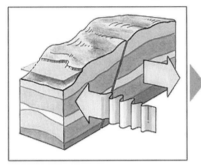 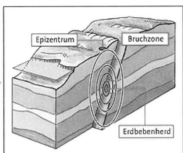

_____

_____

_____

_____

_____

_____

d) kann Faktoren zuordnen, die Hochwassersituationen begünstigen. (S. 68/69)

5▸ Es gibt eine Reihe von Faktoren, die Hochwassersituationen begünstigen. Unterscheide
zwischen natürlichen und von Menschen beeinflussten Faktoren und trage sie entsprechend
in die Liste ein. Zur Auswahl stehen: Dauerregen, Flussbegradigung, Bodenversiegelung
durch Bebauung und Straßenbau, Starkregen, falsche Bodenbearbeitung in der
Landwirtschaft, Bodenverdichtung, Schneeschmelze und zugleich Regen, total durchnässter
Boden und Regen.

(__/4 P.)

Natürliche Faktoren	Von Menschen beeinflusste Faktoren

Name: _____ **Klasse:** _____ **Datum:** _____

 © Ernst Klett Verlag GmbH, Stuttgart 2010. | www.klett.de |
TERRA Kompetenzen entwickeln 2 GWG | ISBN: 978-3-12-104058-2 |
für: TERRA GWG 2 Gymnasium Baden-Württemberg | ISBN: 978-3-623-27821-6

e) Ich kann Ursachen und Folgen von Dürren aufzeigen. (S. 70)

6 Ergänze das Schema über Ursachen und Folgen von Dürren. (__/7 P.)

Ursachen

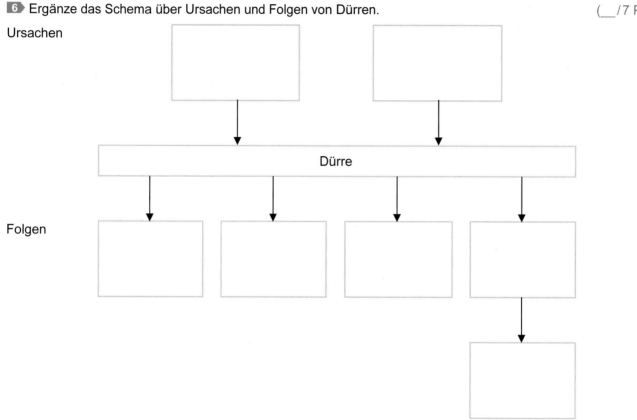

Folgen

3. Methodenkompetenz

a) Ich kann die Schritte zur Recherche im Internet nennen. (S. 66/67)

7 Nenne die Schritte zum gezielten Recherchieren im Internet. (__/5 P.)

Schritt 1: _____

Schritt 2: _____

Schritt 3: _____

Schritt 4: _____

Schritt 5: _____

Name: Klasse: Datum:

Klett

© Ernst Klett Verlag GmbH, Stuttgart 2010. | www.klett.de |
TERRA Kompetenzen entwickeln 2 GWG | ISBN: 978-3-12-104058-2 |
für: TERRA GWG 2 Gymnasium Baden-Württemberg | ISBN: 978-3-623-27821-6

1. Orientierungskompetenz

a) Ich kann die Lage der Risikogebiete in Europa auf einer Karte bestimmen. (S. 72/73, Atlas)

1 Ergänze die Legende zur Karte „Naturereignisse in Europa"

(__ / 12 P.)

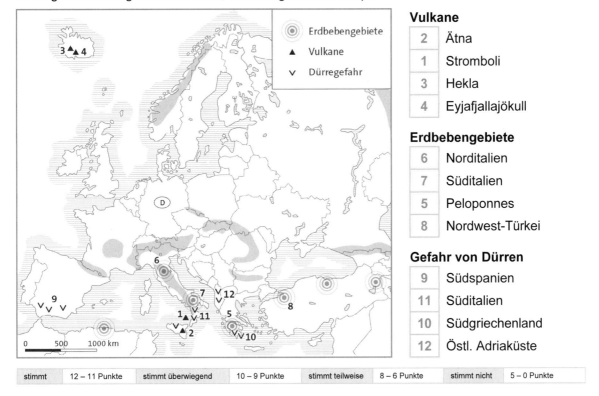

◉ Erdbebengebiete
▲ Vulkane
∨ Dürregefahr

Vulkane

2	Ätna
1	Stromboli
3	Hekla
4	Eyjafjallajökull

Erdbebengebiete

6	Norditalien
7	Süditalien
5	Peloponnes
8	Nordwest-Türkei

Gefahr von Dürren

9	Südspanien
11	Süditalien
10	Südgriechenland
12	Östl. Adriaküste

| stimmt | 12 – 11 Punkte | stimmt überwiegend | 10 – 9 Punkte | stimmt teilweise | 8 – 6 Punkte | stimmt nicht | 5 – 0 Punkte |

2. Sachkompetenz

a) Ich kann den Aufbau eines Schichtvulkans skizzieren. (S. 62/63)

2 Zeichne einen Schichtvulkan. Verwende für die Beschriftung folgende Begriffe: Schlot, Krater, Herd mit Magma, Lavaschicht, Ascheschicht, Aschewolke.

(__ / 6 P.)

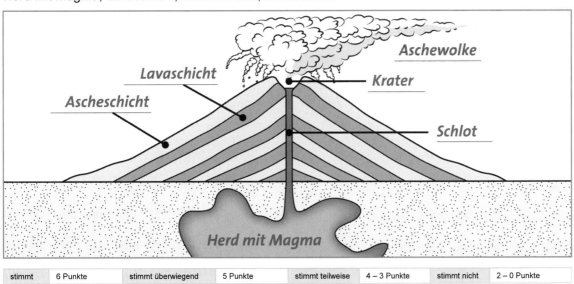

| stimmt | 6 Punkte | stimmt überwiegend | 5 Punkte | stimmt teilweise | 4 – 3 Punkte | stimmt nicht | 2 – 0 Punkte |

Name: _____ Klasse: _____ Datum: _____

 Klett
© Ernst Klett Verlag GmbH, Stuttgart 2010. | www.klett.de |
TERRA Kompetenzen entwickeln 2 GWG | ISBN: 978-3-12-104058-2 |
für: TERRA GWG 2 Gymnasium Baden-Württemberg | ISBN: 978-3-623-27821-6

b) Ich kann mindestens vier Gefahren durch den Ausbruch eines Vulkans nennen. (S. 62/63)

3 Nenne je Gefahren für die Menschen bei dem Ausbruch eines Vulkans durch Lava und Asche.   (__/4 P.)

Lava: z.B. Zerstörung von Häusern und von Ortschaften (1), Zerstörung von Feldern (1)

Asche: z.B. Gefahr der Erstickung (1), Verschütten von Häusern (1)

stimmt	4 Punkte	stimmt überwiegend	3 Punkte	stimmt teilweise	2 Punkte	stimmt nicht	1 – 0 Punkte

c) Ich kann die Entstehung von Erdbeben erklären. (S. 64/65)

4 Erkläre die Entstehung von Erdbeben mithilfe der beiden Abbildungen.   (__/4 P.)

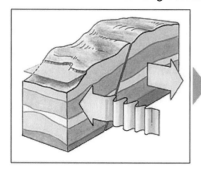 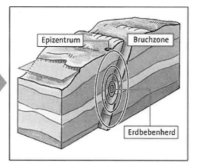

Gesteinsplatten bewegen sich einander vorbei (1) und verhaken sich (1). Wenn der Druck

größer wird als der Widerstand des Gesteins (1), kommt es zu einer ruckartigen

Entspannung (1): einem Erdbeben.

stimmt	4 Punkte	stimmt überwiegend	3 Punkte	stimmt teilweise	2 Punkte	stimmt nicht	1 – 0 Punkte

d) kann Faktoren zuordnen, die Hochwassersituationen begünstigen. (S. 68/69)

5 Es gibt eine Reihe von Faktoren, die Hochwassersituationen begünstigen. Unterscheide zwischen natürlichen und von Menschen beeinflussten Faktoren und trage sie entsprechend in die Liste ein. Zur Auswahl stehen: Dauerregen, Flussbegradigung, Bodenversiegelung durch Bebauung und Straßenbau, Starkregen, falsche Bodenbearbeitung in der Landwirtschaft, Bodenverdichtung, Schneeschmelze und zugleich Regen, total durchnässter Boden und Regen.   (__/4 P.)

Natürliche Faktoren	Von Menschen beeinflusste Faktoren
Dauerregen, Starkregen, Schneeschmelze und zugleich Regen, total durchnässter Boden und Regen	Flussbegradigung, Bodenversiegelung durch Bebauung und Straßenbau, falsche Bodenbearbeitung in der Landwirtschaft, Bodenverdichtung

stimmt	4 Punkte	stimmt überwiegend	3 Punkte	stimmt teilweise	2 Punkte	stimmt nicht	1 – 0 Punkte

Punkteverteilung: 0,5 Punkte je richtiger Zuordnung

Name: **Klasse:**   **Datum:**

 Klett   © Ernst Klett Verlag GmbH, Stuttgart 2010. | www.klett.de |
TERRA Kompetenzen entwickeln 2 GWG | ISBN: 978-3-12-104058-2 |
für: TERRA GWG 2 Gymnasium Baden-Württemberg | ISBN: 978-3-623-27821-6

e) Ich kann Ursachen und Folgen von Dürren aufzeigen. (S. 70)

6 Ergänze das Schema über Ursachen und Folgen von Dürren. (__/7 P.)

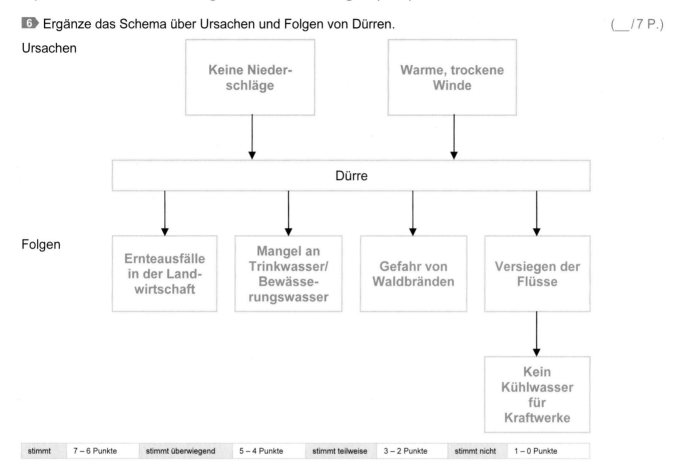

Ursachen

| Keine Nieder-schläge | Warme, trockene Winde |

Dürre

Folgen

| Ernteausfälle in der Land-wirtschaft | Mangel an Trinkwasser/ Bewässe-rungswasser | Gefahr von Waldbränden | Versiegen der Flüsse |

Kein Kühlwasser für Kraftwerke

stimmt	7 – 6 Punkte	stimmt überwiegend	5 – 4 Punkte	stimmt teilweise	3 – 2 Punkte	stimmt nicht	1 – 0 Punkte

3. Methodenkompetenz

a) Ich kann die Schritte zur Recherche im Internet nennen. (S. 66/67)

7 Nenne die Schritte zum gezielten Recherchieren im Internet. (__/5 P.)

Schritt 1: Suchmaschine aufrufen

Schritt 2: geeignete Suchbegriffe überlegen und eingeben

Schritt 3: Ergebnisse überprüfen

Schritt 4: Ergebnisse der Recherche bewerten

Schritt 5: Suche ausweiten

stimmt	5 Punkte	stimmt überwiegend	4 Punkte	stimmt teilweise	3 Punkte	stimmt nicht	2 – 0 Punkte
Punkteverteilung: Überschrift und Achsenbeschriftungen jeweils 1 Punkt = 3 P; je richtiger Eintrag 1 Punkt = 9 P.							

Name: **Klasse:** **Datum:**

© Ernst Klett Verlag GmbH, Stuttgart 2010. | www.klett.de |
TERRA Kompetenzen entwickeln 2 GWG | ISBN: 978-3-12-104058-2 |
für: TERRA GWG 2 Gymnasium Baden-Württemberg | ISBN: 978-3-623-27821-6

61

1 Naturereignisse und Naturkatastrophen treten gehäuft in einigen Teilen Europas auf. (___/4 P.)
Ordne den Beschreibungen das entsprechende Verbreitungsgebiet zu. Zur Auswahl stehen:
West- und Mitteleuropa; Südeuropa; Italien, östliches Südeuropa und Südosteuropa;
Flussniederungen von Seine, Rhone, Rhein, Elbe, Oder und Donau.

Naturereignis/Naturkatastrophe	Verbreitungsgebiet
Waldbrände treten hier im Sommer gehäuft auf, da der Boden wegen geringen Niederschlägen sehr trocken und die Vegetation teilweise ausgetrocknet ist. Sorgloser Umgang mit Feuer, Brandstiftung und Blitzschlag setzen häufig die Vegetation in Brand.	
Verheerende Orkane und Stürme treten hier insbesondere im Winter auf, wenn extreme Unterschiede zwischen kalter Luft im Norden und warmer Luft im Süden herrschen.	
Hier häufen sich die „Jahrtausendfluten" wegen lang andauernden oder sintflutartigen Regenfällen in den Flussniederungen.	
Erdbeben treten gehäuft hier auf, da sich in diesen Gebieten Europas riesige Gesteinsplatten an Bruchzonen langsam aufeinander zu oder aneinander vorbeibewegen und sich dabei verhaken.	

2 Beschrifte die Abbildung eines Schichtvulkans. (___/7 P.)

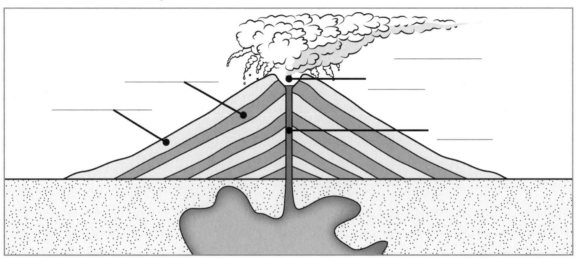

3 Es gibt jeweils einen Außenseiter. Kreuze an. (___/3 P.)

a) ☐ Vesuv   ☐ Stromboli   ☐ Montblanc   ☐ Ätna

b) ☐ Seismograph   ☐ Epizentrum   ☐ Richter-Skala   ☐ Polder

c) ☐ Orkan   ☐ Sturmflut   ☐ Tornado   ☐ Sturm

4 Es gibt eine Reihe von Faktoren, die Hochwassersituationen begünstigen. Unterscheide (___/4 P.)
zwischen natürlichen (N) und von Menschen (M) beeinflussten Faktoren und kennzeichne diese
entsprechend mit M oder N. Zur Auswahl stehen:

Dauerregen (___), Flussbegradigung (___), Bodenversiegelung durch Bebauung und

Straßenbau (___), Starkregen (___), falsche Bodenbearbeitung in der Landwirtschaft (___),

Bodenverdichtung (___), Schneeschmelze und zugleich Regen (___), total durchnässter

Boden und Regen (___)

Name: **Klasse:**   **Datum:**

© Ernst Klett Verlag GmbH, Stuttgart 2010. | www.klett.de |
TERRA Kompetenzen entwickeln 2 GWG | ISBN: 978-3-12-104058-2 |
für: TERRA GWG 2 Gymnasium Baden-Württemberg | ISBN: 978-3-623-27821-6

62

5 Überprüfe mithilfe des Diagramms, welche Aussagen zutreffen und welche nicht zutreffen? (___/7 P.)

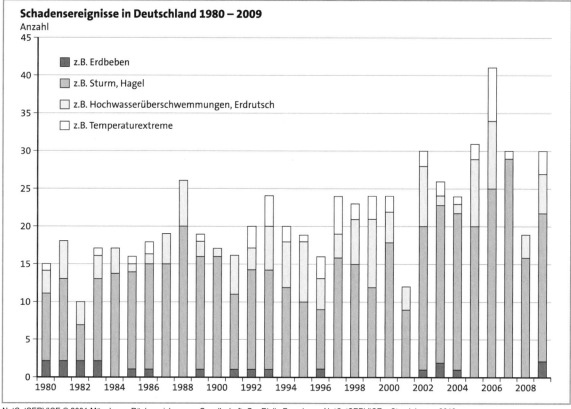

Schadensereignisse in Deutschland 1980 – 2009

- ■ z.B. Erdbeben
- ▨ z.B. Sturm, Hagel
- ▢ z.B. Hochwasserüberschwemmungen, Erdrutsch
- ▢ z.B. Temperaturextreme

NatCatSERVICE © 2001 Münchener Rückversicherungs-Gesellschaft, GeoRisikoForschung, NatCatSERVICE – Stand Januar 2010

	trifft zu	trifft nicht zu
Im Jahr 2001 gab es die geringste Anzahl an Naturkatastrophen in Deutschland.		
Sturmkatastrophen sind in jedem Beobachtungsjahr am häufigsten vertreten.		
Im Durchschnitt gibt es fünf Katastrophen pro Jahr durch Erdbeben.		
Mit Ausnahme des Jahres 2007 sind jedes Jahr Katastrophen durch Hochwasser, Überschwemmungen und Erdrutsche zu verzeichnen.		
Im Trend nimmt die Zahl der Katastrophen in Deutschland von 1980 bis 2009 zu.		
Alle vier Ursachengruppen für Katastrophen ergeben für Deutschland jährlich 100 %.		
Die Anzahl der Sturmkatastrophen betrug im Jahre 2009 exakt 22.		

Gesamtpunktzahl: (___ / 25 P.)

Note:

Name: Klasse: Datum:

© Ernst Klett Verlag GmbH, Stuttgart 2010. | www.klett.de |
TERRA Kompetenzen entwickeln 2 GWG | ISBN: 978-3-12-104058-2 |
für: TERRA GWG 2 Gymnasium Baden-Württemberg | ISBN: 978-3-623-27821-6

1 Naturereignisse und Naturkatastrophen treten gehäuft in einigen Teilen Europas auf. (___/4 P.)
Ordne den Beschreibungen das entsprechende Verbreitungsgebiet zu. Zur Auswahl stehen:
West- und Mitteleuropa; Südeuropa; Italien, östliches Südeuropa und Südosteuropa;
Flussniederungen von Seine, Rhone, Rhein, Elbe, Oder und Donau.

Naturereignis/Naturkatastrophe	Verbreitungsgebiet
Waldbrände treten hier im Sommer gehäuft auf, da der Boden wegen geringen Niederschlägen sehr trocken und die Vegetation teilweise ausgetrocknet ist. Sorgloser Umgang mit Feuer, Brandstiftung und Blitzschlag setzen häufig die Vegetation in Brand.	Südeuropa
Verheerende Orkane und Stürme treten hier insbesondere im Winter auf, wenn extreme Unterschiede zwischen kalter Luft im Norden und warmer Luft im Süden herrschen.	West- und Mitteleuropa
Hier häufen sich die „Jahrtausendfluten" wegen lang andauernden oder sintflutartigen Regenfällen in den Flussniederungen.	Flussniederungen von Seine, Rhone, Rhein, Elbe, Oder und Donau
Erdbeben treten gehäuft hier auf, da sich in diesen Gebieten Europas riesige Gesteinsplatten an Bruchzonen langsam aufeinander zu oder aneinander vorbeibewegen und sich dabei verhaken.	Italien, östliches Südeuropa und Südosteuropa

2 Beschrifte die Abbildung eines Schichtvulkans. (___/7 P.)

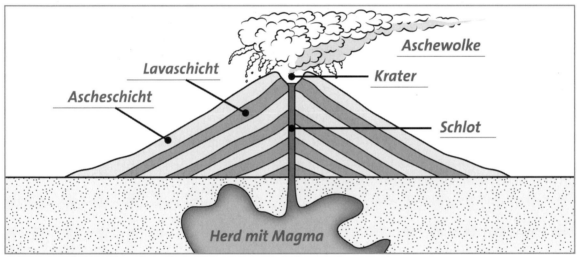

3 Es gibt jeweils einen Außenseiter. Kreuze an. (___/3 P.)

a) ☐ Vesuv ☐ Stromboli ☒ Montblanc ☐ Ätna

b) ☐ Seismograph ☐ Epizentrum ☐ Richter-Skala ☒ Polder

c) ☐ Orkan ☒ Sturmflut ☐ Tornado ☐ Sturm

4 Es gibt eine Reihe von Faktoren, die Hochwassersituationen begünstigen. Unterscheide (___/4 P.)
zwischen natürlichen (N) und von Menschen (M) beeinflussten Faktoren und kennzeichne diese
entsprechend mit M oder N. Zur Auswahl stehen:

Dauerregen (N), Flussbegradigung (M), Bodenversiegelung durch Bebauung und

Straßenbau (M), Starkregen (N), falsche Bodenbearbeitung in der Landwirtschaft (M),

Bodenverdichtung (M), Schneeschmelze und zugleich Regen (N), total durchnässter

Boden und Regen (N)

Name: _____ Klasse: _____ Datum: _____

© Ernst Klett Verlag GmbH, Stuttgart 2010. | www.klett.de |
TERRA Kompetenzen entwickeln 2 GWG | ISBN: 978-3-12-104058-2 |
für: TERRA GWG 2 Gymnasium Baden-Württemberg | ISBN: 978-3-623-27821-6

5 Überprüfe mithilfe des Diagramms, welche Aussagen zutreffen und welche nicht zutreffen? (___/7 P.)

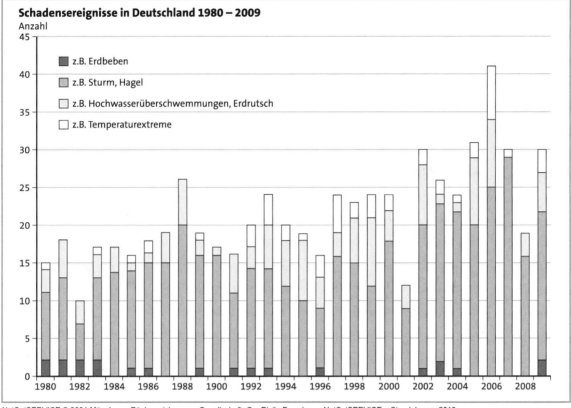

Schadensereignisse in Deutschland 1980 – 2009

NatCatSERVICE © 2001 Münchener Rückversicherungs-Gesellschaft, GeoRisikoForschung, NatCatSERVICE – Stand Januar 2010

	trifft zu	trifft nicht zu
Im Jahr 2001 gab es die geringste Anzahl an Naturkatastrophen in Deutschland.		X
Sturmkatastrophen sind in jedem Beobachtungsjahr am häufigsten vertreten.	X	
Im Durchschnitt gibt es fünf Katastrophen pro Jahr durch Erdbeben.		X
Mit Ausnahme des Jahres 2007 sind jedes Jahr Katastrophen durch Hochwasser, Überschwemmungen und Erdrutsche zu verzeichnen.	X	
Im Trend nimmt die Zahl der Katastrophen in Deutschland von 1980 bis 2009 zu.	X	
Alle vier Ursachengruppen für Katastrophen ergeben für Deutschland jährlich 100%.		X
Die Anzahl der Sturmkatastrophen betrug im Jahre 2009 exakt 22.		X

25–22 Punkte = 1
21–18 Punkte = 2
17–14 Punkte = 3
13–11 Punkte = 4
10–5 Punkte = 5
4–0 Punkte = 6

Gesamtpunktzahl: (___ / 25 P.)

Note:

Name: Klasse: Datum:

1 Den Oberflächenabfluss in den Blick nehmen

a) Trage die Speicherwerte und Abflusswerte unterschiedlich genutzter Flächen bei 60 Liter Niederschlag pro Quadratmeter in die Tabelle ein.

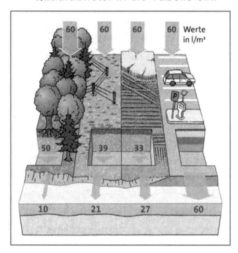

Oberflächennutzung	Eintrag	Speicherung	Abfluss
Waldflächen	60 l/m^2		
Wiesenflächen	60 l/m^2		
Ackerflächen	60 l/m^2		
Bebaute Flächen	60 l/m^2		

b) Erkläre die unterschiedlichen Abflusswerte.

_____

_____

_____

2 Die Abbildung zeigt einige Maßnahmen des Hochwasserschutzes.
Erkläre jeweils die mit Nummern eingetragenen Schutzmaßnahmen. Nutze folgende Begriffe:
Polder, Renaturierung von Flüssen, Aufforstung, Rückhaltebecken, Wasserspeicher, Entsiegelung, Dämme/Deiche.

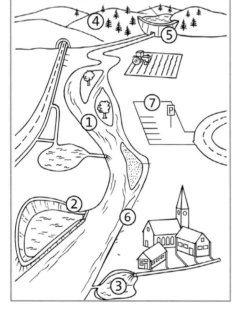

1: _____

_____

2: _____

_____

3: _____

_____

4: _____

_____

5: _____

_____

6: _____

7: _____

Name: _____   Klasse: _____   Datum: _____

© Ernst Klett Verlag GmbH, Stuttgart 2010. | www.klett.de |
TERRA Kompetenzen entwickeln 2 GWG | ISBN: 978-3-12-104058-2 |
für: TERRA GWG 2 Gymnasium Baden-Württemberg | ISBN: 978-3-623-27821-6

1 **Den Oberflächenabfluss in den Blick nehmen**

a) Trage die Speicherwerte und Abflusswerte unterschiedlich genutzter Flächen bei 60 Liter Niederschlag pro Quadratmeter in die Tabelle ein.

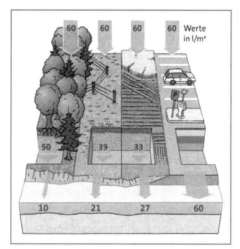

Oberflächennutzung	Eintrag	Speicherung	Abfluss
Waldflächen	60 l/m^2	50 l/m^2	10 l/m^2
Wiesenflächen	60 l/m^2	39 l/m^2	21 l/m^2
Ackerflächen	60 l/m^2	33 l/m^2	27 l/m^2
Bebaute Flächen	60 l/m^2	0 l/m^2	60 l/m^2

b) Erkläre die unterschiedlichen Abflusswerte.

Der natürliche Wasserrückhalt ist in Waldflächen am größten. Um so geringer die Vegetation, um so

weniger Regenwasser kann gespeichert werden. In bebauten Gebieten ist häufig die Oberfläche ganz

versiegelt und das Regenwasser fließt sofort oberflächig in die nächsten Flüsse ab.

2 Die Abbildung zeigt einige Maßnahmen des Hochwasserschutzes.
Erkläre jeweils die mit Nummern eingetragenen Schutzmaßnahmen. Nutze folgende Begriffe:
Polder, Renaturierung von Flüssen, Aufforstung, Rückhaltebecken, Wasserspeicher, Entsiegelung,
Dämme/Deiche.

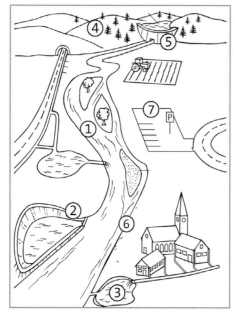

1: Renaturierung von Flüssen, d.h. Flussschlingen, Kiesbänke

etc.; Erhöhung der Aufnahmefähigkeit bei Hochwasser

2: Technischer Hochwasserschutz durch Polder; Aufnahme von

Hochwasserspitzen in großen Becken

3: Bau von Rückhaltebecken z.B. für das Regenwasser; dadurch

verlangsamte Abgabe an die Flüsse

4: Aufforstung; dadurch Zurückhalten der Niederschläge durch

den Wald

5: Bau von Wasserspeichern/Stauseen zur Aufnahme von

hohen Niederschlägen

6: Bau von Dämmen/Deichen entlang der Flüsse zur Sicherung von Ortschaften etc.

7: Entsiegelung, z.B. durch Rasengittersteine auf Parkflächen zur Minderung des Oberflächenabflusses

Name: Klasse: Datum:

 Klett
© Ernst Klett Verlag GmbH, Stuttgart 2010. | www.klett.de |
TERRA Kompetenzen entwickeln 2 GWG | ISBN: 978-3-12-104058-2 |
für: TERRA GWG 2 Gymnasium Baden-Württemberg | ISBN: 978-3-623-27821-6

1▶ Wo treten in Europa häufiger Waldbrände auf? Nutze die Karte im Buch auf S. 72 oder den online-Link 27821X-0407 unter www.klett.de/Lehrwerk-Online

_____
_____
_____
_____

2▶ Welche Faktoren begünstigen die Entstehung von Waldbränden? Lies den Text und liste die Faktoren auf.

Waldbrände entstehen meist in Trockenperioden. Dürres Unterholz und trockenes Laub sind dann leicht entzündlich. Etwa 94% aller Waldbrände entstehen durch Brandstiftung, der Rest lässt sich auf natürliche Ursachen zurückführen. So werden immer wieder Wälder ganz bewusst in Brand gesteckt, um die dadurch gewonnen Flächen als Bauland oder Weideflächen zu nutzen. Weggeworfene Zigarettenkippen oder wilde Lagerfeuer sind oft Auslöser von großen Waldbränden. Auch heiße Auspuffrohre von auf Waldboden abgestellten Autos können Gras und Laub entzünden. Seltener entstehen Waldbrände durch natürliche Ursachen wie Blitzschlag, Selbstentzündung oder vulkanische Aktivität.

1 _____
2 _____
3 _____
4 _____
5 _____
6 _____
7 _____

3▶ Die Abbildung zeigt Maßnahmen der Bekämpfung von Waldbränden. Erkläre die einzelnen Maßnahmen.

Name: Klasse: Datum:

© Ernst Klett Verlag GmbH, Stuttgart 2010. | www.klett.de |
TERRA Kompetenzen entwickeln 2 GWG | ISBN: 978-3-12-104058-2 |
für: TERRA GWG 2 Gymnasium Baden-Württemberg | ISBN: 978-3-623-27821-6

1 Wo treten in Europa häufiger Waldbrände auf? Nutze die Karte im Buch auf S. 72 oder den online-Link 27821X-0407 unter www.klett.de/Lehrwerk-Online

In den Ländern rund ums Mittelmeer (z.B. in Spanien, Italien, Griechenland), in Deutschland

(z.B. in Ostdeutschland), in Rumänien, Russland (z.B. am Ural)

2 Welche Faktoren begünstigen die Entstehung von Waldbränden? Lies den Text und liste die Faktoren auf.

Waldbrände entstehen meist in Trockenperioden. Dürres Unterholz und trockenes Laub sind dann leicht entzündlich. Etwa 94% aller Waldbrände entstehen durch Brandstiftung, der Rest lässt sich auf natürliche Ursachen zurückführen. So werden immer wieder Wälder ganz bewusst in Brand gesteckt, um die dadurch gewonnen Flächen als Bauland oder Weideflächen zu nutzen. Weggeworfene Zigarettenkippen oder wilde Lagerfeuer sind oft Auslöser von großen Waldbränden. Auch heiße Auspuffrohre von auf Waldboden abgestellten Autos können Gras und Laub entzünden. Seltener entstehen Waldbrände durch natürliche Ursachen wie Blitzschlag, Selbstentzündung oder vulkanische Aktivität.

1 Brandstiftung

2 Weggeworfene Zigarettenkippen

3 wilde Lagerfeuer

4 heiße Auspuffrohre von Autos

5 Blitzschlag

6 Selbstentzündung

7 vulkanische Aktivität

3 Die Abbildung zeigt Maßnahmen der Bekämpfung von Waldbränden. Erkläre die einzelnen Maßnahmen.

Durch Ausschlagen des Feuers mit einer Klatsche.

Durch Anlegen von breiten, baumfreien Schneisen.

Durch Legen von Gegenfeuern; entzieht dem Brand die Grundlagen.

Durch Löschen mit Wasser am Boden und aus der Luft.

Name: Klasse: Datum:

 Klett

© Ernst Klett Verlag GmbH, Stuttgart 2010. | www.klett.de |
TERRA Kompetenzen entwickeln 2 GWG | ISBN: 978-3-12-104058-2 |
für: TERRA GWG 2 Gymnasium Baden-Württemberg | ISBN: 978-3-623-27821-6

Bezüge zum Bildungsplan/Kompetenzübersicht
Die Schülerinnen und Schüler können …
- **M1** **Basisinformationen aus Karten, Atlaskarten,** Profilen, **Diagrammen,** Klimadiagrammen, **Ablaufschemata, Statistiken,** Modellen, **Bildern,** Luftbildern und **Texten erfassen** und einfache geographische **Darstellungsmöglichkeiten** selbst **anfertigen;**
- **M2** einfache (Modell-)**Experimente durchführen und auswerten;**
- **S8** **Europa hinsichtlich physischer, politischer und kultureller Gegebenheiten gliedern** und verfügen über ein gefestigtes **Orientierungsraster Europas;**
- **S9** im europäischen Raum **Zusammenhänge zwischen Klima, Nutzung und Pflanzenwelt** einerseits **und den Lebensbedingungen** andererseits aufzeigen;
- **S12** anhand von Betriebsbeispielen Zusammenhänge **der landwirtschaftlichen Produktion in ihrer Abhängigkeit von Naturfaktoren, Produktionsfaktoren und Märkten** erklären sowie mögliche **Umweltgefährdungen durch die Nutzungen und zukunftsfähige Lösungswege** darstellen;
- **S13** **exemplarisch die Grundzüge von Produktionsketten** und einer damit verbundenen **Arbeitsteilung zwischen Erzeugung, Verarbeitung, Vermarktung und Konsum (Nutzung)** beschreiben.

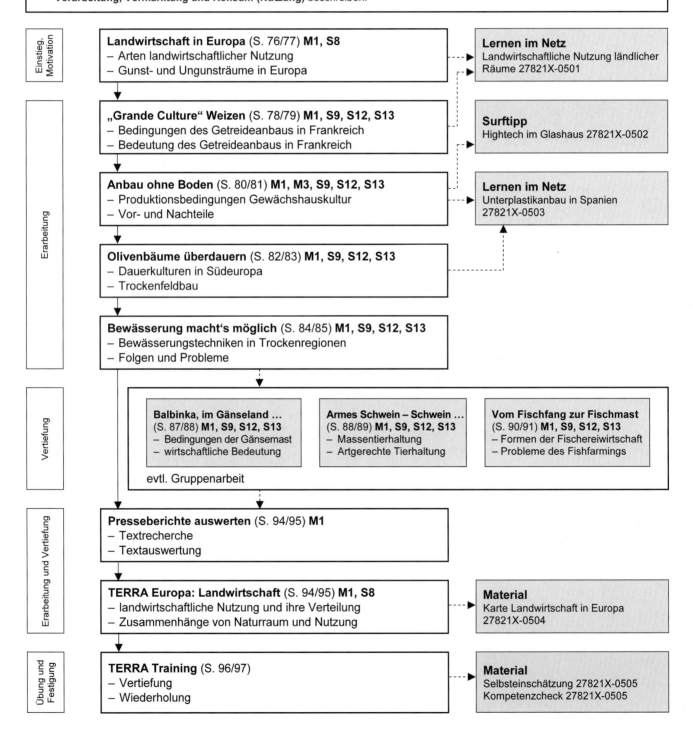

Einstieg, Motivation

Landwirtschaft in Europa (S. 76/77) **M1, S8**
- Arten landwirtschaftlicher Nutzung
- Gunst- und Ungunsträume in Europa

Lernen im Netz
Landwirtschaftliche Nutzung ländlicher Räume 27821X-0501

Erarbeitung

„Grande Culture" Weizen (S. 78/79) **M1, S9, S12, S13**
- Bedingungen des Getreideanbaus in Frankreich
- Bedeutung des Getreideanbaus in Frankreich

Surftipp
Hightech im Glashaus 27821X-0502

Anbau ohne Boden (S. 80/81) **M1, M3, S9, S12, S13**
- Produktionsbedingungen Gewächshauskultur
- Vor- und Nachteile

Lernen im Netz
Unterplastikanbau in Spanien 27821X-0503

Olivenbäume überdauern (S. 82/83) **M1, S9, S12, S13**
- Dauerkulturen in Südeuropa
- Trockenfeldbau

Bewässerung macht's möglich (S. 84/85) **M1, S9, S12, S13**
- Bewässerungstechniken in Trockenregionen
- Folgen und Probleme

Vertiefung

Balbinka, im Gänseland … (S. 87/88) **M1, S9, S12, S13**
- Bedingungen der Gänsemast
- wirtschaftliche Bedeutung

Armes Schwein – Schwein … (S. 88/89) **M1, S9, S12, S13**
- Massentierhaltung
- Artgerechte Tierhaltung

Vom Fischfang zur Fischmast (S. 90/91) **M1, S9, S12, S13**
- Formen der Fischereiwirtschaft
- Probleme des Fishfarmings

evtl. Gruppenarbeit

Erarbeitung und Vertiefung

Presseberichte auswerten (S. 94/95) **M1**
- Textrecherche
- Textauswertung

TERRA Europa: Landwirtschaft (S. 94/95) **M1, S8**
- landwirtschaftliche Nutzung und ihre Verteilung
- Zusammenhänge von Naturraum und Nutzung

Material
Karte Landwirtschaft in Europa 27821X-0504

Übung und Festigung

TERRA Training (S. 96/97)
- Vertiefung
- Wiederholung

Material
Selbsteinschätzung 27821X-0505
Kompetenzcheck 27821X-0505

Inhaltsfelder mit Seitenangaben (Bezug zum Schülerbuch), fakultative Elemente sind grau hinterlegt
(M= Fachspezifische Methodenkompetenz, S = Sachkompetenz)

 Klett © Ernst Klett Verlag GmbH, Stuttgart 2010. | www.klett.de |
TERRA Kompetenzen entwickeln 2 GWG | ISBN: 978-3-12-104058-2 |
für: TERRA GWG 2 Gymnasium Baden-Württemberg | ISBN: 978-3-623-27821-6

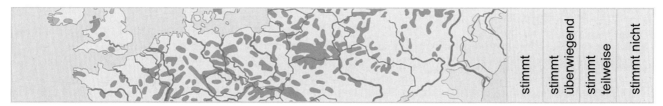

	stimmt	stimmt überwiegend	stimmt teilweise	stimmt nicht

1. Räumliche Orientierung

a) Ich kann die Verbreitung von Ungunsträume und Zonen intensiver landwirtschaftlicher Nutzung Europas in einer Karte kennzeichnen. (S. 76/77)				

2. Sachkompetenz

a) Ich kann die landwirtschaftlichen Gunstfaktoren im Pariser Becken nennen. (S. 78/79)				
b) Ich kann die Wirkung eines Gewächshauses erklären. (S. 80/81)				
c) Ich kann den Weg einer Tomate vom Gewächshaus bis auf den Essteller beschreiben. (S. 80/81)				
d) Ich kann den Arbeitsablauf beim Trockenfeldbau im Mittelmeerraum erläutern. (S. 82/83)				
e) Ich kann drei verschiedene Bewässerungstechniken beschreiben. (S. 84/85)				

3. Methodenkompetenz

f) Ich kann den Inhalt eines Textes mit eigenen Worten zusammenfassen. (S. 92/93)				

Name: **Klasse:** **Datum:**

 © Ernst Klett Verlag GmbH, Stuttgart 2010. | www.klett.de |
TERRA Kompetenzen entwickeln 2 GWG | ISBN: 978-3-12-104058-2 |
für: TERRA GWG 2 Gymnasium Baden-Württemberg | ISBN: 978-3-623-27821-6

1. Räumliche Orientierung

a) Ich kann die Verbreitung von Ungunsträume und Zonen intensiver landwirtschaftlicher Nutzung Europas in einer Karte kennzeichnen.

1 Kennzeichne die in der Legende vorgegebenen Ungunsträume und Zonen intensiver landwirtschaftlicher Nutzung in der Karte.

(___/5 P.)

Ackerbau, Viehzucht

Anbau am Mittelmeer

Waldgebiete

Hochgebirge

Tundra, Heide, Moore

0   500   1000 km

2. Sachkompetenz

a) Ich kann die landwirtschaftlichen Gunstfaktoren im Pariser Becken nennen.

2 Erkläre mithilfe der vorgegebene Satzanfänge, warum im Pariser Becken so erfolgreich Getreide angebaut werden kann.

(___/5 P.)

Die natürlichen Voraussetzungen im Pariser Becken sind günstig:

Die Böden sind _____.

Das Klima ist _____.

Entscheidend für die intensive Landnutzung sind aber auch die betrieblichen Voraussetzungen:

Die Bauernhöfe sind _____.

Die großen Felder ermöglichen _____.

Durch den Einsatz von Maschinen können _____.

Aufgrund dieser Bedingungen sind die Erträge hoch und die Produktionskosten niedrig und das Getreide kann preisgünstig verkauft werden.

Name: Klasse: Datum:

 Klett

© Ernst Klett Verlag GmbH, Stuttgart 2010. | www.klett.de |
TERRA Kompetenzen entwickeln 2 GWG | ISBN: 978-3-12-104058-2 |
für: TERRA GWG 2 Gymnasium Baden-Württemberg | ISBN: 978-3-623-27821-6

72

Alle Rechte vorbehalten. Von dieser Druckvorlage ist die Vervielfältigung für den
eigenen Unterrichtsgebrauch gestattet. Die Kopiergebühren sind abgegolten.
Für Veränderungen durch Dritte übernimmt der Verlag keine Verantwortung.

b) Ich kann die Wirkung eines Gewächshauses erklären.

3 Ergänze in der Skizze die einfallenden Sonnenstrahlen und erkläre die Funktionsweise eines Gewächshauses.   (__ /6 P.)

Sonne

Gewächshaus

_____

_____

_____

_____

_____

_____

c) Ich kann den Weg einer Tomate vom Gewächshaus bis auf den Essteller beschreiben.

4 Bringe die nachfolgenden Sätze durch Nummerierung in die richtige Reihenfolge.   (__ /6 P.)

	Lisa kauft auf dem Markt Tomaten und macht daraus einen Salat.
	Auf dem Großmarkt werden die Tomaten an den Einzelhändler verkauft.
	Ein LKW transportiert die Tomaten vom Gewächshaus zum Großmarkt.
	Tomatensamen werden auf Steinwolle in langen Reihen ausgesät.
	Der Einzelhändler verkauft die Tomaten auf dem Markt oder in seinem Geschäft.
	Im Gewächshaus reifen die Tomaten bei künstlicher Nährstoffzufuhr.

d) Ich kann den Arbeitsablauf beim Trockenfeldbau im Mittelmeerraum erläutern.

5 Erläutere anhand des Anbaukalenders für Getreide (S. 83) den Arbeitsablauf beim Trocken-feldbau im Mittelmeerraum.   (__ / 6 P.)

_____

_____

_____

_____

_____

_____

_____

_____

Name: _____   **Klasse:** _____   **Datum:** _____

 Klett
© Ernst Klett Verlag GmbH, Stuttgart 2010. | www.klett.de |
TERRA Kompetenzen entwickeln 2 GWG | ISBN: 978-3-12-104058-2 |
für: TERRA GWG 2 Gymnasium Baden-Württemberg | ISBN: 978-3-623-27821-6

73

b) Ich kann drei verschiedene Bewässerungstechniken beschreiben.

6 Beschreibe die drei Bewässerungstechniken.   (__/6 P.)

Furchenbewässerung	Beregnungsbewässerung	Tröpfchenbewässerung

3. Methodenkompetenz

a) Ich kann den Inhalt eines Textes mit eigenen Worten zusammenfassen.

7 Lies den nachfolgenden Text, unterstreiche Wichtiges und erkläre den Begriff „Anbaugrenze".   (__/4 P.)

Nina hat sich aus dem letzten Urlaub mit ihren Eltern in Süditalien einen kleinen Zitronenbaum mitgebracht und zuhause auf den Balkon gestellt. Der Winter ist dem kleinen Baum nicht gut bekommen. Alle seine Blätter sind braun geworden und wenn ein kräftiger Wind weht, fallen immer mal wieder einige Blätter ab. Nina hat wenig Hoffnung, dass der Baum nochmal blühen könnte. Der Nachbar sieht die traurige Nina auf dem Balkon bei ihrem Baum sitzen. Um sie zu trösten versucht er ihr zu erklären, was mit ihrem Zitronenbaum passiert ist: „Für das Wachstum der Pflanzen ist das Klima entscheidend. Einige Pflanzen können zeitweise eisige Kälte, andere große Hitze ertragen. Manche Arten brauchen sehr viel Wasser, andere kommen mit sehr wenig aus – aber ganz ohne Wasser sterben auch sie ab. Gräser, Büsche und Bäume wachsen nur, wenn es warm genug ist, d.h. wenn die durchschnittliche Tages- und Monatstemperatur mindestens 5°C beträgt. Daraus ergibt sich die Wachstumszeit der Pflanzen. Manche Laubbäume und kälteempfindliche Kulturpflanzen, wie z.B. die Getreidearten brauchen sogar mittlere Temperaturen von etwa 10°C. Außerdem muss die Wachstumszeit lang genug sein, sonst werden die Früchte nicht reif. Reicht die jeweilige Wachstumszeit nicht mehr aus, ist für die jeweilige Pflanze die Anbaugrenze erreicht. Gleichzeitig muss aber auch die Säule des monatlichen Niederschlags im Klimadiagramm über die Temperaturkurve reichen. Nur dann haben die Pflanzen ausreichend Wasser zum Wachsen. Der Zitronenbaum hat von dir zwar genug Wasser bekommen, aber der Winter war einfach zu kalt für den Baum." Nina hat zwar verstanden, ist aber trotzdem noch ein Bisschen traurig, denn die Blüten hatten doch so lecker gerochen …

_____

_____

_____

_____

_____

Name: _____   **Klasse:** _____   **Datum:** _____

1. Räumliche Orientierung

a) Ich kann die Verbreitung von Ungunsträume und Zonen intensiver landwirtschaftlicher Nutzung Europas in einer Karte kennzeichnen.

1 Kennzeichne die in der Legende vorgegebenen Ungunsträume und Zonen intensiver (__ /5 P.)
landwirtschaftlicher Nutzung in der Karte.

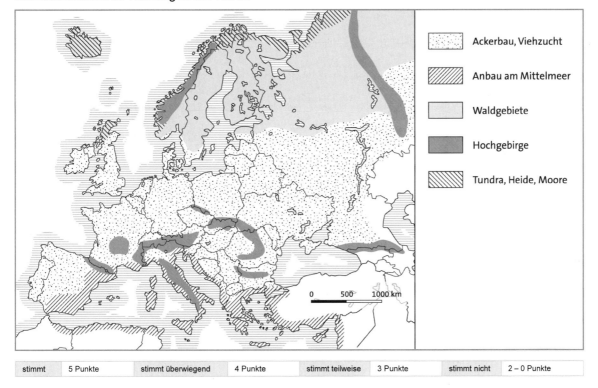

Legende:
- Ackerbau, Viehzucht
- Anbau am Mittelmeer
- Waldgebiete
- Hochgebirge
- Tundra, Heide, Moore

stimmt	5 Punkte	stimmt überwiegend	4 Punkte	stimmt teilweise	3 Punkte	stimmt nicht	2 – 0 Punkte

2. Sachkompetenz

a) Ich kann die landwirtschaftlichen Gunstfaktoren im Pariser Becken nennen.

2 Erkläre mithilfe der vorgegebene Satzanfänge, warum im Pariser Becken so erfolgreich (__ /5 P.)
Getreide angebaut werden kann.

Die natürlichen Voraussetzungen im Pariser Becken sind günstig:

Die Böden sind _____ertragreich_____.

Das Klima ist _____mild und ausreichend feucht_____.

Entscheidend für die intensive Landnutzung sind aber auch die betrieblichen Voraussetzungen:

Die Bauernhöfe sind _____mit durchschnittlich 70 Hektar sehr groß_____.

Die großen Felder ermöglichen _____den Einsatz großer Maschinen_____.

Durch den Einsatz von Maschinen können _____Arbeitskräfte gespart werden_____.

Aufgrund dieser Bedingungen sind die Erträge hoch und die Produktionskosten niedrig und das Getreide kann preisgünstig verkauft werden.

stimmt	5 Punkte	stimmt überwiegend	4 Punkte	stimmt teilweise	3 Punkte	stimmt nicht	2 – 0 Punkte

Name: **Klasse:** **Datum:**

 Klett

© Ernst Klett Verlag GmbH, Stuttgart 2010. | www.klett.de |
TERRA Kompetenzen entwickeln 2 GWG | ISBN: 978-3-12-104058-2 |
für: TERRA GWG 2 Gymnasium Baden-Württemberg | ISBN: 978-3-623-27821-6

75

b) Ich kann die Wirkung eines Gewächshauses erklären.

3 Ergänze in der Skizze die einfallenden Sonnenstrahlen und erkläre die Funktionsweise eines Gewächshauses. (___/6 P.)

Lichtstrahlen fallen durch das Glasdach in das

Gewächshaus (1). Wenn die Lichtstrahlen auf den Boden

oder die Pflanzen im Gewächshaus treffen, werden sie in

Wärme umgewandelt (1).

Diese kann das Gewächshaus durch das Glas nicht mehr

verlassen (1). Die Temperatur im Gewächshaus steigt (1).

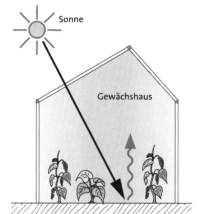

stimmt	6 Punkte	stimmt überwiegend	5 Punkte	stimmt teilweise	4 – 3 Punkte	stimmt nicht	2 – 0 Punkte
Punkteverteilung: 2 Punkte für die Skizze.							

c) Ich kann den Weg einer Tomate vom Gewächshaus bis auf den Essteller beschreiben.

4 Bringe die nachfolgenden Sätze durch Nummerierung in die richtige Reihenfolge. (___/6 P.)

6	Lisa kauft auf dem Markt Tomaten und macht daraus einen Salat.
4	Auf dem Großmarkt werden die Tomaten an den Einzelhändler verkauft.
3	Ein LKW transportiert die Tomaten vom Gewächshaus zum Großmarkt.
1	Tomatensamen werden auf Steinwolle in langen Reihen ausgesät.
5	Der Einzelhändler verkauft die Tomaten auf dem Markt oder in seinem Geschäft.
2	Im Gewächshaus reifen die Tomaten bei künstlicher Nährstoffzufuhr.

stimmt	6 Punkte	stimmt überwiegend	5 Punkte	stimmt teilweise	4 – 3 Punkte	stimmt nicht	2 – 0 Punkte

d) Ich kann den Arbeitsablauf beim Trockenfeldbau im Mittelmeerraum erläutern.

5 Erläutere anhand des Anbaukalenders für Getreide (S. 83) den Arbeitsablauf beim Trockenfeldbau im Mittelmeerraum. (___/6 P.)

Der Arbeitsablauf beim Trockenfeldbau im Mittelmerraum beruht auf einem jährlichen

Wechseln von Anbau und Brache (1).

Im ersten Jahr wird im September das Getreide ausgesät (1). Während der Regenperiode

von Oktober bis zum April des zweiten Jahres wächst und reift das Getreide (1). Im Mai des

zweiten Jahres – vor Beginn der Trockenzeit – wird das Getreide geerntet (1). Damit der

Boden sich erholen kann, wird das Feld während der folgenden Regenperiode nicht

eingesät sondern regelmäßig gepflügt und geeggt (1). Erst im September des dritten

Jahres wird wieder Getreide ausgesät (1).

stimmt	6 Punkte	stimmt überwiegend	5 Punkte	stimmt teilweise	4 – 3 Punkte	stimmt nicht	2 – 0 Punkte

Name: _____ Klasse: _____ Datum: _____

Klett

© Ernst Klett Verlag GmbH, Stuttgart 2010. | www.klett.de |
TERRA Kompetenzen entwickeln 2 GWG | ISBN: 978-3-12-104058-2 |
für: TERRA GWG 2 Gymnasium Baden-Württemberg | ISBN: 978-3-623-27821-6

b) Ich kann drei verschiedene Bewässerungstechniken beschreiben.

6 Beschreibe die drei Bewässerungstechniken. (__/6 P.)

Furchenbewässerung	Beregnungsbewässerung	Tröpfchenbewässerung
Das Wasser wird in offenen Gräben in die Bewässerungsgebiete geleitet und von diesen Hauptgräben auf die einzelnen Anbauflächen verteilt (1). Das Wasser versickert und gelangt so an die Pflanzenwurzeln (1).	Die Felder werden mit Sprinklern beregnet (1). Das Wasser wird gleichmäßig über die Anbaufläche verteilt (1).	Das Wasser wird über Schläuche direkt und gezielt an den Standort der Pflanze geleitet (1). Tröpfchenweise wird das Wasser an die Wurzeln der Pflanze abgegeben (1).

stimmt	6 Punkte	stimmt überwiegend	5 Punkte	stimmt teilweise	4 – 3 Punkte	stimmt nicht	2 – 0 Punkte

3. Methodenkompetenz

a) Ich kann den Inhalt eines Textes mit eigenen Worten zusammenfassen.

7 Lies den nachfolgenden Text, unterstreiche Wichtiges und erkläre den Begriff „Anbaugrenze". (__/4 P.)

Nina hat sich aus dem letzten Urlaub mit ihren Eltern in Süditalien einen kleinen Zitronenbaum mitgebracht und zuhause auf den Balkon gestellt. Der Winter ist dem kleinen Baum nicht gut bekommen. Alle seine Blätter sind braun geworden und wenn ein kräftiger Wind weht, fallen immer mal wieder einige Blätter ab. Nina hat wenig Hoffnung, dass der Baum nochmal blühen könnte. Der Nachbar sieht die traurige Nina auf dem Balkon bei ihrem Baum sitzen. Um sie zu trösten versucht er ihr zu erklären, was mit ihrem Zitronenbaum passiert ist: „Für das Wachstum der Pflanzen ist das Klima entscheidend. Einige Pflanzen können zeitweise eisige Kälte, andere große Hitze ertragen. Manche Arten brauchen sehr viel Wasser, andere kommen mit sehr wenig aus – aber ganz ohne Wasser sterben auch sie ab. Gräser, Büsche und Bäume wachsen nur, wenn es warm genug ist, d.h. wenn die durchschnittliche Tages- und Monatstemperatur mindestens 5°C beträgt. Daraus ergibt sich die Wachstumszeit der Pflanzen. Manche Laubbäume und kälteempfindliche Kulturpflanzen, wie z.B. die Getreidearten brauchen sogar mittlere Temperaturen von etwa 10°C. Außerdem muss die Wachstumszeit lang genug sein, sonst werden die Früchte nicht reif. Reicht die jeweilige Wachstumszeit nicht mehr aus, ist für die jeweilige Pflanze die Anbaugrenze erreicht. Gleichzeitig muss aber auch die Säule des monatlichen Niederschlags im Klimadiagramm über die Temperaturkurve reichen. Nur dann haben die Pflanzen ausreichend Wasser zum Wachsen. Der Zitronenbaum hat von dir zwar genug Wasser bekommen, aber der Winter war einfach zu kalt für den Baum." Nina hat zwar verstanden, ist aber trotzdem noch ein Bisschen traurig, denn die Blüten hatten doch so lecker gerochen …

Pflanzen brauchen, um wachsen und ihre Samen zur Reife bringen zu können, über einen

bestimmten Zeitraum hinweg eine durchschnittliche Mindesttemperatur (1) und soviel

Niederschlag, dass im Klimadiagramm die Säulen des monatlichen Niederschlags über die

Temperaturkurve reichen (1). Ist es zu kalt, zu heiß oder zu trocken ist die Anbaugrenze

einer Pflanze erreicht (2).

stimmt	4 Punkte	stimmt überwiegend	3 Punkte	stimmt teilweise	2 Punkte	stimmt nicht	1 – 0 Punkte

Name: _____ Klasse: _____ Datum: _____

 © Ernst Klett Verlag GmbH, Stuttgart 2010. | www.klett.de |
TERRA Kompetenzen entwickeln 2 GWG | ISBN: 978-3-12-104058-2 |
für: TERRA GWG 2 Gymnasium Baden-Württemberg | ISBN: 978-3-623-27821-6

1▶ Landwirtschaftliche Nutzung in Europa

(__/5 P.)

Trage unter Verwendung der Legende Ungunsträume und Zonen intensiver landwirtschaftlicher Nutzung in die Europa-Karte ein.

	Ackerbau, Viehzucht
	Anbau am Mittelmeer
	Waldgebiete
	Hochgebirge
	Tundra, Heide, Moore

0   500   1000 km

2▶ Getreideanbau in Frankreich

(__/5 P.)

Erkläre, warum im Pariser Becken so erfolgreich Getreide angebaut werden kann.

Name: Klasse: Datum:

© Ernst Klett Verlag GmbH, Stuttgart 2010. | www.klett.de |
TERRA Kompetenzen entwickeln 2 GWG | ISBN: 978-3-12-104058-2 |
für: TERRA GWG 2 Gymnasium Baden-Württemberg | ISBN: 978-3-623-27821-6

3 **Unterplastikanbau – Fluch oder Segen?** (___/8 P.)

Lies die beiden nachfolgenden Texte und unterstreiche wichtige Informationen zu Vor- und Nachteilen des Unterplastikanbaus.

a) Finde für jeden Text eine Überschrift, welche die Meinung des Autors unterstreicht.

b) Beide Autoren nennen Vor- bzw. Nachteile des Unterplastikanbaus. Welcher Meinung bist du? Begründe.

In der Küstenebene bei Almeria werden bei rund 3000 Sonnenstunden und einer Durchschnittstemperatur von 27 °C im Sommer und 15 °C im Winter in Gewächshäusern ganzjährig Obst und Gemüse angebaut, um dann in ganz Europa zu hohen Preisen verkauft zu werden. Bei einem Anbau auf kleinster Fläche können durch den Einsatz von Dünger und Pestiziden und eine ausgiebige Bewässerung maximale Erträge erzielt werden. Täglich fahren viele Menschen in diese Region um zu arbeiten.	In der Küstenebene bei Almeria werden bei einer Durchschnittstemperatur von 27 °C im Sommer und 15 °C im Winter in Gewächshäusern ganzjährig Obst und Gemüse angebaut, doch die Natur leidet unter der Ausdehnung des Unterplastikanbaus. Durch die extreme Wasserentnahme sinkt der Grundwasserspiegel und das Salzwasser dringt ins Landesinnere vor. Außerdem verlieren wilde Tiere und Pflanzen durch die dichte Bebauung ihren Lebensraum. Wird ein Gewächshaus nicht mehr benötigt, bleibt die Plastikfolie als Müll zurück.

4 **Bewässerung macht's möglich** (___/4 P.)

Nenne je einen Vor- und einen Nachteil für die genannten Bewässerungstechniken.

Furchenbewässerung		Tröpfchenbewässerung	
+		+	
–		–	

Gesamtpunktzahl: (___ / 22 P.)

Note:

Name: Klasse: Datum:

© Ernst Klett Verlag GmbH, Stuttgart 2010. | www.klett.de |
TERRA Kompetenzen entwickeln 2 GWG | ISBN: 978-3-12-104058-2 |
für: TERRA GWG 2 Gymnasium Baden-Württemberg | ISBN: 978-3-623-27821-6

1▶ Landwirtschaftliche Nutzung in Europa (___ /5 P.)
Trage unter Verwendung der Legende Ungunsträume und Zonen intensiver landwirtschaftlicher
Nutzung in die Europa-Karte ein.

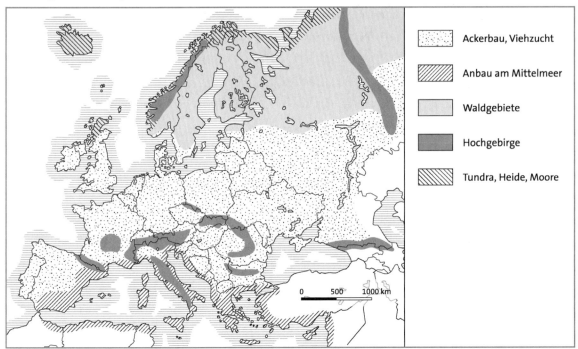

Legende:
- Ackerbau, Viehzucht
- Anbau am Mittelmeer
- Waldgebiete
- Hochgebirge
- Tundra, Heide, Moore

2▶ Getreideanbau in Frankreich (___ /5 P.)
Erkläre, warum im Pariser Becken so erfolgreich Getreide angebaut werden kann.

Die natürlichen Voraussetzungen im Pariser Becken sind günstig:

Die Böden sind ertragreich (1).

Das Klima ist mild und ausreichend feucht (1).

Entscheidend für die intensive Landnutzung sind aber auch die betrieblichen

Voraussetzungen:

Die Bauernhöfe sind mit durchschnittlich 70 Hektar sehr groß (1).

Die großen Felder ermöglichen den Einsatz großer Maschinen (1).

Durch den Einsatz von Maschinen können Arbeitskräfte gespart werden (1).

Aufgrund dieser Bedingungen sind die Erträge hoch und die Produktionskosten niedrig und

das Getreide kann preisgünstig verkauft werden.

Name: Klasse: Datum:

© Ernst Klett Verlag GmbH, Stuttgart 2010. | www.klett.de |
TERRA Kompetenzen entwickeln 2 GWG | ISBN: 978-3-12-104058-2 |
für: TERRA GWG 2 Gymnasium Baden-Württemberg | ISBN: 978-3-623-27821-6

3 Unterplastikanbau – Fluch oder Segen? (__/8 P.)

Lies die beiden nachfolgenden Texte und unterstreiche wichtige Informationen zu Vor- und Nachteilen des Unterplastikanbaus.

a) Finde für jeden Text eine Überschrift, welche die Meinung des Autors unterstreicht.

b) Beide Autoren nennen Vor- bzw. Nachteile des Unterplastikanbaus. Welcher Meinung bist du? Begründe.

Unterplastikanbau – Segen für die spanische Wirtschaft (1) In der Küstenebene bei Almeria werden bei rund 3000 Sonnenstunden und einer Durchschnittstemperatur von 27 °C im Sommer und 15 °C im Winter in Gewächshäusern ganzjährig Obst und Gemüse angebaut, um dann in ganz Europa zu hohen Preisen verkauft zu werden. Bei einem Anbau auf kleinster Fläche können durch den Einsatz von Dünger und Pestiziden und eine ausgiebige Bewässerung maximale Erträge erzielt werden. Täglich fahren viele Menschen in diese Region um zu arbeiten.	Unterplastikanbau – Fluch für die Umwelt (1) In der Küstenebene bei Almeria werden bei einer Durchschnittstemperatur von 27 °C im Sommer und 15 °C im Winter in Gewächshäusern ganzjährig Obst und Gemüse angebaut, doch die Natur leidet unter der Ausdehnung des Unterplastikanbaus. Durch die extreme Wasserentnahme sinkt der Grundwasserspiegel und das Salzwasser dringt ins Landesinnere vor. Außerdem verlieren wilde Tiere und Pflanzen durch die dichte Bebauung ihren Lebensraum. Wird ein Gewächshaus nicht mehr benötigt, bleibt die Plastikfolie als Müll zurück.

Einerseits bringt der Unterplastikanbau für die spanische Wirtschaft große Vorteile: auf

kleiner Fläche können ganzjährig hohe Ernteerträge erzielt werden (1) und Obst und

Gemüse können teuer nach Mittel – und Nordeuropa verkauft werden (1).

Andererseits belastet der Unterplastikanbau die Umwelt, das Grundwasser sinkt und

Salzwasser dringt ins Landesinnere vor (1), Tiere und Pflanzen werden vertrieben (1) und

die Plastikplanen bleiben als Müll zurück (1).

Es sollte nach Wegen gesucht werden, so dass zwar gute Erträge erzielt werden können,

aber die Umwelt nicht leidet (1).

4 Bewässerung macht's möglich (__/4 P.)

Nenne je einen Vor- und einen Nachteil für die genannten Bewässerungstechniken.

Furchenbewässerung		Tröpfchenbewässerung	
+	kostengünstig	+	wassersparend und effektiv
–	Wasserverlust durch Verdunstung und Gefahr von Bodenversalzung	–	kostspielig für den Bauern

22–19 Punkte = 1
18–16 Punkte = 2
15–13 Punkte = 3
12–10 Punkte = 4
9–5 Punkte = 5
4–0 Punkte = 6

Gesamtpunktzahl: (__ / 22 P.)

Note:

Name: Klasse: Datum:

 Klett

© Ernst Klett Verlag GmbH, Stuttgart 2010. | www.klett.de |
TERRA Kompetenzen entwickeln 2 GWG | ISBN: 978-3-12-104058-2 |
für: TERRA GWG 2 Gymnasium Baden-Württemberg | ISBN: 978-3-623-27821-6

1▶ Einen Versuch durchführen und auswerten.

a) Nenne die Schritte, welche nötig sind, um den abgebildeten Versuch durchzuführen?

_____

_____

_____

_____

_____

Kresse

Folie

b) Die Tabelle zeigt Aufzeichnungen eines Versuchs zu Keimverhalten und Wachstum von Kressesamen. Werte die Daten aus, indem du sie in das Diagramm überträgst. Notiere, was dir auffällt.

Wuchshöhe in mm

☐ Samen ohne Folie
☐ Samen mit Folie

Tag 1 Tag 2 Tag 3 Tag 4 Tag 5 Tag 6 Tag 7 Tag 8 Tag 9 Tag 10

Tag	Ohne Folie	Mit Folie
1	0 mm	0 mm
2	0 mm	1 mm
3	3 mm	5 mm
4	8 mm	10 mm
5	15 mm	20 mm
6	30 mm	40 mm
7	50 mm	80 mm
8	70 mm	100 mm
9	80 mm	110 mm
10	85 mm	115 mm

_____

_____

_____

c) Erkläre deine Beobachtungen.

_____

_____

_____

_____

_____

Name: **Klasse:**   **Datum:**

© Ernst Klett Verlag GmbH, Stuttgart 2010. | www.klett.de |
TERRA Kompetenzen entwickeln 2 GWG | ISBN: 978-3-12-104058-2 |
für: TERRA GWG 2 Gymnasium Baden-Württemberg | ISBN: 978-3-623-27821-6

1 Einen Versuch durchführen und auswerten.

a) Nenne die Schritte, welche nötig sind, um den abgebildeten Versuch durchzuführen?

1. jede Schale mit einem Blatt Küchenpapier auslegen (1)

2. Kressesamen darauf streuen (1)

3. beide Schalen gut mit Wasser befeuchten (1)

4. eine Schale mit Klarsichtfolie abdecken (1)

5. beide Schalen nebeneinander in die Sonne stellen und

einige Tage stehen lassen (1)

b) Die Tabelle zeigt Aufzeichnungen eines Versuchs zu Keimverhalten und Wachstum von Kressesamen.
Werte die Daten aus, indem du sie in das Diagramm überträgst. Notiere, was dir auffällt.

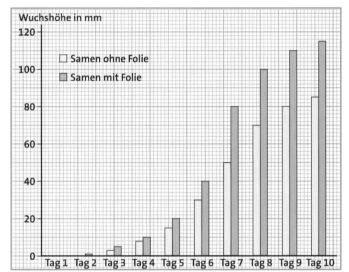

Tag	Ohne Folie	Mit Folie
1	0 mm	0 mm
2	0 mm	1 mm
3	3 mm	5 mm
4	8 mm	10 mm
5	15 mm	20 mm
6	30 mm	40 mm
7	50 mm	80 mm
8	70 mm	100 mm
9	80 mm	110 mm
10	85 mm	115 mm

Die Kressesamen unter der Klarsichtfolie keimen früher und wachsen dann schneller und höher. (2)

c) Erkläre deine Beobachtungen.

Die Klarsichtfolie wirkt wie ein Gewächshaus: Sonnenlicht fällt durch die Folie und erwärmt die Luft

darunter (2). Außerdem kann durch die Folie Wasser nicht so gut verdunsten, so bleibt der Boden

immer feucht (2). Sowohl Temperatur als auch Bodenfeuchtigkeit sind wesentliche Voraussetzungen

für das Wachstum von Pflanzen (1).

Name: Klasse: Datum:

 Klett
© Ernst Klett Verlag GmbH, Stuttgart 2010. | www.klett.de |
TERRA Kompetenzen entwickeln 2 GWG | ISBN: 978-3-12-104058-2 |
für: TERRA GWG 2 Gymnasium Baden-Württemberg | ISBN: 978-3-623-27821-6

Über die Landwirtschaft in Europa kannst du im Internet noch viel mehr erfahren. Mit Google-Earth ist es z.B. möglich, sich anzuschauen, wie die landwirtschaftlich genutzten Räume Europas aus der Luft aussehen.

1 ▶ Öffne das Programm Google-Earth. Gib in der Suchmaske „Anfliegen" die spanische Stadt „El Ejido" ein. Zoome dich bis zu einer Sichthöhe von ca. 18–20 km heran. Notiere, was dir besonders auffällt in deinem Heft.

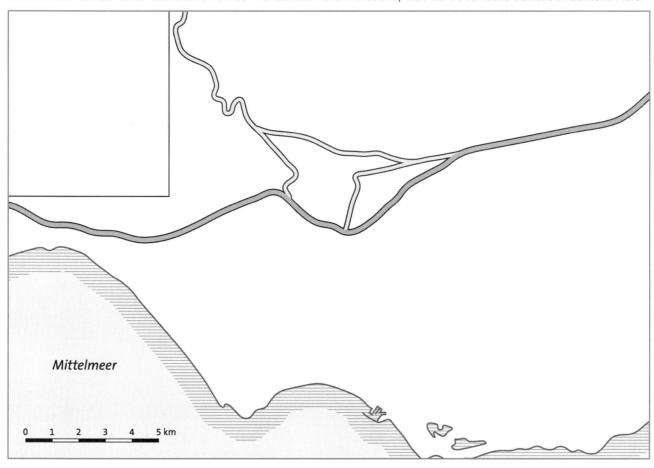

Mittelmeer

0 1 2 3 4 5 km

2 ▶ Die stumme Karte zeigt Teile der Küstenline sowie die Hauptverkehrsstraßen, die auch im Satellitenbild zu sehen sind. Doch das Satellitenbild zeigt mehr. Notiere die überwiegenden Formen der Flächennutzung und Bebauung. Überprüfe deine Vermutungen indem du dich weiter in den Ausschnitt hinein zoomst.

_____

_____

_____

_____

_____

_____

_____

_____

Name: **Klasse:** **Datum:**

© Ernst Klett Verlag GmbH, Stuttgart 2010. | www.klett.de |
TERRA Kompetenzen entwickeln 2 GWG | ISBN: 978-3-12-104058-2 |
für: TERRA GWG 2 Gymnasium Baden-Württemberg | ISBN: 978-3-623-27821-6

3 In der Ansicht von Google Earth findest du kleine Quadrate. Wenn du mit der Maus darüber fährst erscheint jeweils ein weißer Schriftzug, welcher der Titel eines Bildes ist. Diese Bilder kannst du dir anschauen, wenn du auf den Titel klickst. Schaue Dir verschiedene Bilder des Ausschnitts an und beschreibe, was sie zeigen.

4 Setze das Luftbild mit Hilfe der stummen Karte oben in eine Kartenskizze um: Zeichen die Grenzen der unterschiedlichen Flächennutzung ein. Stelle linien- und punktförmige Bildelemente fest und übertrage diese in deine Karte. Erstelle eine passende Legende.

5 Überlege anhand der Ergebnisse deiner Luftbildauswertung, wie ein Luftbild von El Ejido vermutlich vor 30 Jahren ausgesehen hätte?

Name: Klasse: Datum:

© Ernst Klett Verlag GmbH, Stuttgart 2010. | www.klett.de |
TERRA Kompetenzen entwickeln 2 GWG | ISBN: 978-3-12-104058-2 |
für: TERRA GWG 2 Gymnasium Baden-Württemberg | ISBN: 978-3-623-27821-6

Über die Landwirtschaft in Europa kannst du im Internet noch viel mehr erfahren. Mit Google-Earth ist es z.B. möglich, sich anzuschauen, wie die landwirtschaftlich genutzten Räume Europas aus der Luft aussehen.

1 Öffne das Programm Google-Earth. Gib in der Suchmaske „Anfliegen" die spanische Stadt „El Ejido" ein. Zoome dich bis zu einer Sichthöhe von ca. 18–20 km heran. Notiere, was dir besonders auffällt in deinem Heft.

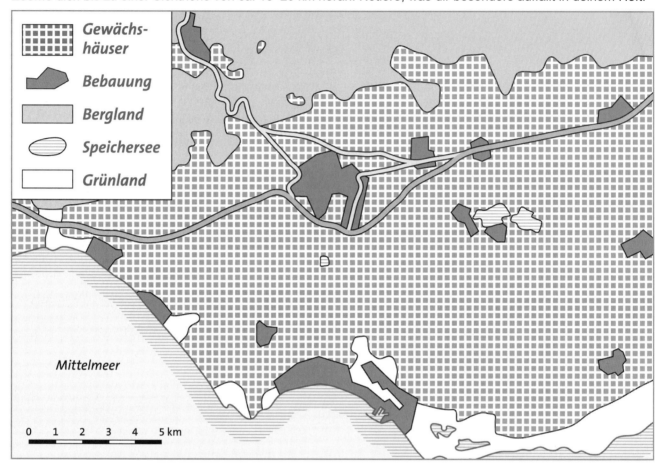

2 Die stumme Karte zeigt Teile der Küstenline sowie die Hauptverkehrsstraßen, die auch im Satellitenbild zu sehen sind. Doch das Satellitenbild zeigt mehr. Notiere die überwiegenden Formen der Flächennutzung und Bebauung. Überprüfe deine Vermutungen indem du dich weiter in den Ausschnitt hinein zoomst.

Aus einer Höhe von 18–20 km kann man erkennen, dass die Landfläche in unterschiedlicher Weise

genutzt wird. Im Zentrum des Bildausschnittes erkennt man eine Stadt. Neben den großen

Hauptverkehrsstraßen wird sie von vielen kleineren Straßen und Gassen durchzogen. Der größte Teil

der Fläche ist mit Gewächshäusern bebaut. Nur vereinzelt tauchen kleine mit Häusern oder

Industrieanlagen bebaute Flächen auf. Dort, wo sich im Norden des Bildausschnittes das Gebirge

erhebt, wird die Bebauung deutlich lockerer und man erkennt nur noch vereinzelte Gewächshäuser. An

der Küste, im Süden des Bildausschnittes, lassen sich im Wechsel mit kleinen Siedlungen und

Gewächshäusern einzelne unbebaute Strände erkennen.

Name: Klasse: Datum:

 © Ernst Klett Verlag GmbH, Stuttgart 2010. | www.klett.de |
TERRA Kompetenzen entwickeln 2 GWG | ISBN: 978-3-12-104058-2 |
für: TERRA GWG 2 Gymnasium Baden-Württemberg | ISBN: 978-3-623-27821-6

3 In der Ansicht von Google Earth findest du kleine Quadrate. Wenn du mit der Maus darüber fährst erscheint jeweils ein weißer Schriftzug, welcher der Titel eines Bildes ist. Diese Bilder kannst du dir anschauen, wenn du auf den Titel klickst. Schaue Dir verschiedene Bilder des Ausschnitts an und beschreibe, was sie zeigen.

Das Bild „Invernaderos El Ejido" zeigt den Blick aus der Stadt El Ejido in Richtung des Fusses einer

Gebirgskette. Im Vordergrund erkennt man die oberen Stockwerke und Dächer einer modernen

Wohnarchitektur. Die Fenster sind zu großen Teilen verschlossen, vermutlich weil die Bewohner sich

gegen die Sonne schützen wollen. Im Mittelgrund erkennt man eine weite Ebene, die mit

Gewächshäusern aus Plastik bebaut ist. Nur vereinzelt lassen sich zwischen den Gewächshäusern

Bäume und andere Pflanzen erkennen. Im Hintergrund blickt man auf den unteren Teil einer Bergkette.

Die Hänge sind nur karg bewachsen, vielleicht ist es zu trocken oder die Böden sind zu schlecht.

4 Setze das Luftbild mit Hilfe der stummen Karte oben in eine Kartenskizze um: Zeichen die Grenzen der unterschiedlichen Flächennutzung ein. Stelle linien- und punktförmige Bildelemente fest und übertrage diese in deine Karte. Erstelle eine passende Legende.

5 Überlege anhand der Ergebnisse deiner Luftbildauswertung, wie ein Luftbild von El Ejido vermutlich vor 30 Jahren ausgesehen hätte?

Ein Luftbild von El Ejido von vor 30 Jahren würde vermutlich ganz anders ausgesehen haben: Die

Siedlungen wären kleiner gewesen, weil noch nicht so viele Menschen in der Region gelebt und

gearbeitet haben. Anstatt des Anbaus unter Plastik, wäre der Bewässerungsfeldbau die dominierende

Anbauform gewesen.

Name: Klasse: Datum:

Bezüge zum Bildungsplan/Kompetenzübersicht
Die Schülerinnen und Schüler können …
M1 Basisinformationen aus Karten, Atlaskarten, Profilen, Diagrammen, Klimadiagrammen, Ablaufschemata, Statistiken, Modellen, Bildern, Luftbildern und Texten erfassen;
S8 Europa hinsichtlich physischer, politischer und kultureller Gegebenheiten gliedern und über ein gefestigtes Orientierungsraster Europas verfügen;
S13 Exemplarisch die Grundzüge von Produktionsketten und einer damit verbundenen Arbeitsteilung zwischen Erzeugung, Verarbeitung, Vermarktung und Konsum (Nutzung) beschreiben;
S14 Am Beispiel eines ausgewählten Wirtschaftsraumes die Grundvoraussetzungen und den Wandel wirtschaftlicher Produktion aufzeigen;
Mw1 einfache Informationen (wirtschaftliche Sachtexte oder Daten) auswerten und darstellen.

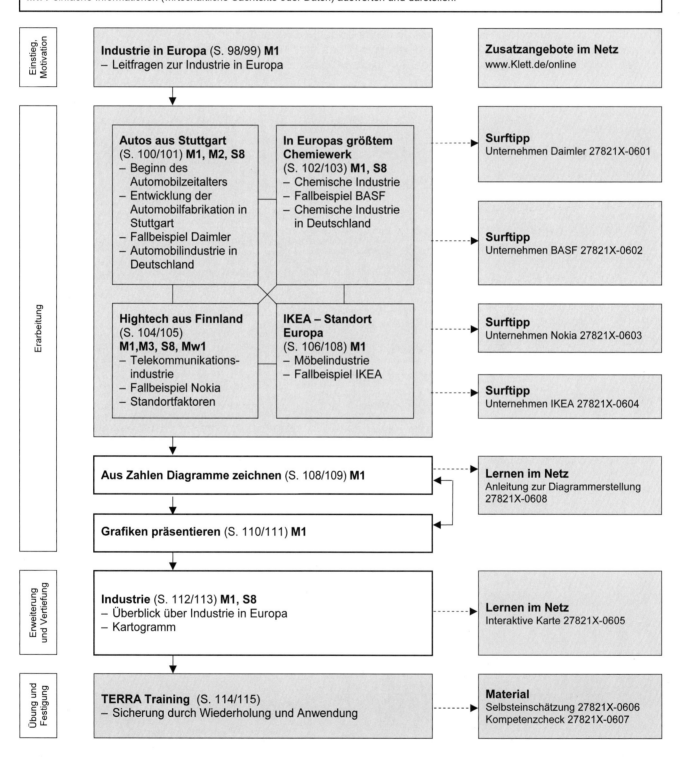

Einstieg, Motivation

Industrie in Europa (S. 98/99) **M1**
– Leitfragen zur Industrie in Europa

Zusatzangebote im Netz
www.Klett.de/online

Erarbeitung

Autos aus Stuttgart
(S. 100/101) **M1, M2, S8**
– Beginn des Automobilzeitalters
– Entwicklung der Automobilfabrikation in Stuttgart
– Fallbeispiel Daimler
– Automobilindustrie in Deutschland

In Europas größtem Chemiewerk
(S. 102/103) **M1, S8**
– Chemische Industrie
– Fallbeispiel BASF
– Chemische Industrie in Deutschland

Surftipp
Unternehmen Daimler 27821X-0601

Surftipp
Unternehmen BASF 27821X-0602

Hightech aus Finnland
(S. 104/105)
M1,M3, S8, Mw1
– Telekommunikations-industrie
– Fallbeispiel Nokia
– Standortfaktoren

IKEA – Standort Europa
(S. 106/108) **M1**
– Möbelindustrie
– Fallbeispiel IKEA

Surftipp
Unternehmen Nokia 27821X-0603

Surftipp
Unternehmen IKEA 27821X-0604

Aus Zahlen Diagramme zeichnen (S. 108/109) **M1**

Lernen im Netz
Anleitung zur Diagrammerstellung 27821X-0608

Grafiken präsentieren (S. 110/111) **M1**

Erweiterung und Vertiefung

Industrie (S. 112/113) **M1, S8**
– Überblick über Industrie in Europa
– Kartogramm

Lernen im Netz
Interaktive Karte 27821X-0605

Übung und Festigung

TERRA Training (S. 114/115)
– Sicherung durch Wiederholung und Anwendung

Material
Selbsteinschätzung 27821X-0606
Kompetenzcheck 27821X-0607

Inhaltsfelder mit Seitenangaben (Bezug zum Schülerbuch), fakultative Elemente sind grau hinterlegt
(M= Fachspezifische Methodenkompetenz, S = Sachkompetenz)

 Klett
© Ernst Klett Verlag GmbH, Stuttgart 2010. | www.klett.de |
TERRA Kompetenzen entwickeln 2 GWG | ISBN: 978-3-12-104058-2 |
für: TERRA GWG 2 Gymnasium Baden-Württemberg | ISBN: 978-3-623-27821-6

	stimmt	stimmt überwiegend	stimmt teilweise	stimmt nicht

1. Orientierungskompetenz

a) Ich kann bedeutende Standorte der Automobilindustrie in Deutschland auf einer Karte benennen. (S. 101)				
b) Ich kann Standorte, in denen sowohl Fahrzeugbau als auch chemische Industrie angesiedelt ist, in eine Deutschlandkarte einzeichnen. (S. 101 und 103)				

2. Sachkompetenz

a) Ich kann am Beispiel der Automobilindustrie erklären, was man unter einem Zulieferbetrieb versteht. (S. 100/101)				
b) Ich kann fünf verschiedene Industriezweige nennen. (S. 98–111)				
c) Ich kann mindestens vier Standortfaktoren für Hightech-Firmen nennen. (S. 104/105)				
d) Ich kann Unterschiede (Rohstoffe, Zwischenprodukte, Endprodukte) zwischen der chemischen Industrie und der Automobilindustrie beschreiben. (S. 102/103)				

3. Methodenkompetenz

a) Ich kann die Entwicklung eines Industrieunternehmens in einer Tabelle darstellen. (S. 106/107)				
b) Ich kann statistische Angaben zu verschiedenen Wirtschaftsbereichen in geeigneten Diagrammen darstellen. (S. 108/109)				
c) Ich kann Diagramme mit Prozentangaben lesen. (S. 110/111)				

Name: **Klasse:** **Datum:**

 Klett © Ernst Klett Verlag GmbH, Stuttgart 2010. | www.klett.de |
TERRA Kompetenzen entwickeln 2 GWG | ISBN: 978-3-12-104058-2 |
für: TERRA GWG 2 Gymnasium Baden-Württemberg | ISBN: 978-3-623-27821-6

89

1. Orientierungskompetenz

a) Ich kann bedeutende Standorte der Automobilindustrie in Deutschland auf einer Karte benennen. (S. 101)

(__/5 P.)

1 Benenne fünf gemessen an der Beschäftigtenzahl bedeutende Produktionsstandorte des Automobilbaus in Deutschland.

_____

_____

_____

_____

Produktionsstätten des Automobilbaus

b) Ich kann Standorte, in denen sowohl Fahrzeugbau als auch chemische Industrie angesiedelt ist, in einer Deutschlandkarte einzeichnen. (S. 101 und 103)

2 Zeichne in die obige Karte fünf Standorte ein, in denen sowohl Automobilproduktion als auch chemische Industrie ansässig ist.

(__/5 P.)

_____

_____

2. Sachkompetenz

a) Ich kann am Beispiel der Automobilindustrie erklären, was man unter einem Zulieferbetrieb versteht. (S. 100/101)

3 Erkläre den Begriff „Zulieferbetrieb" am Beispiel der Automobilindustrie.

(__/5 P.)

_____

_____

_____

_____

b) Ich kann fünf verschiedene Industriezweige nennen. (S. 96–111)

4 Nenne fünf Industriezweige.

(__/5 P.)

_____

_____

_____

Name: | **Klasse:** | **Datum:**

Klett © Ernst Klett Verlag GmbH, Stuttgart 2010. | www.klett.de |
TERRA Kompetenzen entwickeln 2 GWG | ISBN: 978-3-12-104058-2 |
für: TERRA GWG 2 Gymnasium Baden-Württemberg | ISBN: 978-3-623-27821-6

c) Ich kann mindestens vier Standortfaktoren für Hightech-Firmen nennen. (S. 104/105)

5 Kreuze an, welche der folgenden Standortfaktoren für Hightech-Firmen bedeutend sind.   (___/4 P.)

Standortfaktor	für Hightech-Firmen	
	bedeutsam	nicht bedeutsam
Nähe zu Universitäten und Forschungseinrichtungen		
Angebot an günstigen, unqualifizierten Arbeitskräften		
Verfügbarkeit guter Kindergärten und Schulen		
Ein reichhaltiges kulturelles Angebot (Theater, Kino, Museen)		
Gut ausgebaute Verkehrswege zum Transport von Rohstoffen		
Attraktive Landschaft		
Großes Angebot an günstigen Mietwohnungen		
Gut ausgebaute Wasserstraße		

d) Ich kann Unterschiede (Rohstoffe, Zwischenprodukte, Endprodukte) zwischen der chemischen Industrie und der Automobilindustrie beschreiben. (S. 102/103)

6 Stelle die Unterschiede zwischen der chemischen Industrie und der Automobilindustrie bezüg-   (___/5 P.)
lich der Rohstoffe und der Endprodukte heraus. Nutze dazu folgende Begriffe:
Chemische Industrie, Rohstoffe, Zwischenprodukte, Endprodukte, Automobilindustrie

_____

_____

_____

_____

_____

_____

3. Methodenkompetenz

**a) Ich kann die Entwicklung eines Industrieunternehmens in einer Tabelle darstellen.
(S. 106/107)**

7 Stelle anhand des Textes die Entwicklung des britischen Autobauers Rolls Royce tabellarisch dar.   (___/5 P.)

Mit dem Ziel, gemeinsam Autos zu bauen, gründeten der Ingenieur Henry Royce und der Kaufmann Charles Rolls 1904 in Manchester die Firma Rolls-Royce Limited. Nur zwei Jahre später stellten sie ihr erstes Modell auf einer Automobilmesse in London vor. Bereits dieses erste Fahrzeug verschaffte dem Unternehmen den Ruf, das beste Auto der Welt zu bauen, da der „Rolls-Royce 40/50 HP" einen neuen Langstreckenrekord aufstellte. Seit 1911 zieren alle Rolls-Royce die legendäre Kühlerfigur „Spirit of Ecstasy". Früh schon eröffnete die Firma mit dem seit 1914 einsetzenden Bau von Flugzeugmotoren ein neues Geschäftsfeld. Vor allem im Verlauf des Zweiten Weltkriegs wurde dieser Geschäftsbereich immer bedeutender. Während andere Automobilhersteller im Zuge der Weltwirtschaftskrise große Schwierigkeiten hatten, konnte Rolls-Royce expandieren. 17 Jahre nach dem Bau des ersten Flugmotors konnte man den Konkurrenten Bentley übernehmen. Doch auch Rolls-Royce geriet in große Schwierigkeiten, als sie sich mit der Entwicklung einer neuen Flugantriebstechnik übernahmen. 1971 musste das Unternehmen daher Konkurs anmelden und wurde verstaatlicht. Die neuen Geschäftsführer trennten den Fahrzeugbau und den Flugmotorenbau zwei Jahre später. In den nachfolgenden Jahren gab es mehrere Besitzerwechsel des traditionsreichen Autobauers. 1998 kaufte das bayerische Unternehmen BMW Rolls-Royce und startete einen Neubeginn mit dem Bau des Nobelfahrzeugs „Phantom".

Name: _____   **Klasse:** _____   **Datum:** _____

© Ernst Klett Verlag GmbH, Stuttgart 2010. | www.klett.de |
TERRA Kompetenzen entwickeln 2 GWG | ISBN: 978-3-12-104058-2 |
für: TERRA GWG 2 Gymnasium Baden-Württemberg | ISBN: 978-3-623-27821-6

Jahr	Ereignis

b) Ich kann statistische Angaben zu verschiedenen Wirtschaftsbereichen in geeigneten Diagrammen darstellen. (S. 108/109)

8 Stelle die Fahrzeugproduktion der Jahre 2007 und 2008 in den bedeutendsten europäischen Produktionsländern in einer geeigneten Grafik dar.

(___/5 P.)

Land	Fahrzeugproduktion	
	2007	2008
Frankreich	2 550 859	2 145 935
Deutschland	5 709 139	5 532 030
Italien	910 680	659 221
Spanien	2 308 774	2 013 861
Großbritannien	1 534 567	1 446 619

Daten: Verband der Automobilindustrie (VDA), Berlin, www.vda.de

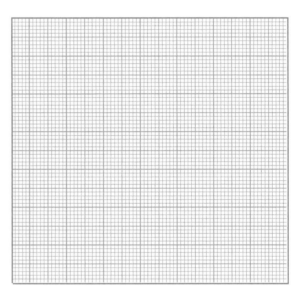

c) Ich kann Diagramme mit Prozentangaben lesen. (S. 110/111)

9 Ermittle den Anteil der Beschäftigten in den großen Wirtschaftsbereichen Deutschlands für die Jahre 1995 und 2010.

(___/5 P.)

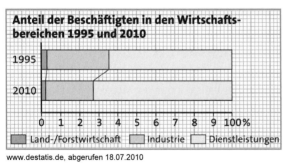

www.destatis.de, abgerufen 18.07.2010

Beschäftigte nach Wirtschaftsbereichen		
Wirtschaftsbereich	1995	2010
Land- und Forstwirtschaft		
Industrie		
Dienstleistungen		

Name: Klasse: Datum:

© Ernst Klett Verlag GmbH, Stuttgart 2010. | www.klett.de |
TERRA Kompetenzen entwickeln 2 GWG | ISBN: 978-3-12-104058-2 |
für: TERRA GWG 2 Gymnasium Baden-Württemberg | ISBN: 978-3-623-27821-6

1. Orientierungskompetenz

a) Ich kann bedeutende Standorte der Automobilindustrie in Deutschland auf einer Karte benennen. (S. 101)

(__ / 5 P.)

1 Benenne fünf gemessen an der Beschäftigtenzahl bedeutende Produktionsstandorte des Automobilbaus in Deutschland.

Wolfsburg, Stuttgart, München, Rüsselsheim, Kassel, Köln, Sindelfingen, Rastatt

stimmt	5 Punkte	stimmt überwiegend	4 Punkte
stimmt teilweise	3 Punkte	stimmt nicht	2 – 0 Punkte

Produktionsstätten des Automobilbaus

b) Ich kann Standorte, in denen sowohl Fahrzeugbau als auch chemische Industrie angesiedelt ist, in einer Deutschlandkarte einzeichnen. (S. 101 und 103)

2 Zeichne in die obige Karte fünf Standorte ein, in denen sowohl Automobilproduktion als auch chemische Industrie ansässig ist.

(__ / 5 P.)

Köln (1), Mannheim (1), München (1), Berlin (1), Hamburg (1)

stimmt	5 Punkte	stimmt überwiegend	4 Punkte	stimmt teilweise	3 Punkte	stimmt nicht	2 – 0 Punkte

2. Sachkompetenz

a) Ich kann am Beispiel der Automobilindustrie erklären, was man unter einem Zulieferbetrieb versteht. (S. 100/101)

3 Erkläre den Begriff „Zulieferbetrieb" am Beispiel der Automobilindustrie.

(__ / 5 P.)

Zulieferbetriebe fertigen einzelne Bauteile eines Autos an (1) und liefern diese an die

Automobilproduktionsstätten (1), in denen die neuen Autos zusammengebaut werden (1).

So werden zum Beispiel Windschutzscheiben (0,5), Autositze (0,5), Scheinwerfer (0,5)

oder Reifen (0,5) von Zulieferbetrieben hergestellt und angeliefert.

stimmt	5 Punkte	stimmt überwiegend	4 Punkte	stimmt teilweise	3 Punkte	stimmt nicht	2 – 0 Punkte

b) Ich kann fünf verschiedene Industriezweige nennen. (S. 96–111)

4 Nenne fünf Industriezweige.

(__ / 5 P.)

Automobilindustrie (1), Chemische Industrie (1), Telekommunikationsindustrie (1),

Möbelindustrie (1), Schwerindustrie (1)

stimmt	5 Punkte	stimmt überwiegend	4 Punkte	stimmt teilweise	3 Punkte	stimmt nicht	2 – 0 Punkte

Name: Klasse: Datum:

© Ernst Klett Verlag GmbH, Stuttgart 2010. | www.klett.de |
TERRA Kompetenzen entwickeln 2 GWG | ISBN: 978-3-12-104058-2 |
für: TERRA GWG 2 Gymnasium Baden-Württemberg | ISBN: 978-3-623-27821-6

c) Ich kann mindestens vier Standortfaktoren für Hightech-Firmen nennen. (S. 104/105)

5 Kreuze an, welche der folgenden Standortfaktoren für Hightech-Firmen bedeutend sind. (__ /4 P.)

Standortfaktor	für Hightech-Firmen	
	bedeutsam	nicht bedeutsam
Nähe zu Universitäten und Forschungseinrichtungen	x	
Angebot an günstigen, unqualifizierten Arbeitskräften		x
Verfügbarkeit guter Kindergärten und Schulen	x	
Ein reichhaltiges kulturelles Angebot (Theater, Kino, Museen)	x	
Gut ausgebaute Verkehrswege zum Transport von Rohstoffen		x
Attraktive Landschaft	x	
Großes Angebot an günstigen Mietwohnungen		x
Gut ausgebaute Wasserstraße		x

stimmt	4 Punkte	stimmt überwiegend	3 Punkte	stimmt teilweise	2 Punkte	stimmt nicht	1 – 0 Punkte

Punkteverteilung: 1 Punkt Abzug für jedes falsche Kreuz.

d) Ich kann Unterschiede (Rohstoffe, Zwischenprodukte, Endprodukte) zwischen der chemischen Industrie und der Automobilindustrie beschreiben. (S. 102/103)

6 Stelle die Unterschiede zwischen der chemischen Industrie und der Automobilindustrie bezüg- (__ /5 P.)
lich der Rohstoffe und der Endprodukte heraus. Nutze dazu folgende Begriffe:
Chemische Industrie, Rohstoffe, Zwischenprodukte, Endprodukte, Automobilindustrie

In der chemischen Industrie werden aus wenigen Rohstoffen (1), (z.B. Erdöl, Salz, Kohle)

viele verschiedene Zwischen- und Endprodukte (1), (z.B. Farbstoffe, Kunstdünger, Kunst-

stoffe oder Waschmittel) hergestellt. Im Gegensatz dazu wird in der Automobilindustrie aus

vielen verschiedenen Einzelteilen (1), (z.B. Motor, Getriebe, Fenster, Reifen, Radio) ein

Produkt (1), das fertige Auto, hergestellt.

stimmt	5 Punkte	stimmt überwiegend	4 Punkte	stimmt teilweise	3 Punkte	stimmt nicht	2 – 0 Punkte

Punkteverteilung: 1 Punkt für eine grammatikalisch gute Formulierung.

3. Methodenkompetenz

a) Ich kann die Entwicklung eines Industrieunternehmens in einer Tabelle darstellen.
(S. 106/107)

7 Stelle anhand des Textes die Entwicklung des britischen Autobauers Rolls Royce tabellarisch dar. (__ /5 P.)

Mit dem Ziel, gemeinsam Autos zu bauen, gründeten der Ingenieur Henry Royce und der Kaufmann Charles Rolls 1904 in Manchester die Firma Rolls-Royce Limited. Nur zwei Jahre später stellten sie ihr erstes Modell auf einer Automobilmesse in London vor. Bereits dieses erste Fahrzeug verschaffte dem Unternehmen den Ruf, das beste Auto der Welt zu bauen, da der „Rolls-Royce 40/50 HP" einen neuen Langstreckenrekord aufstellte. Seit 1911 zieren alle Rolls-Royce die legendäre Kühlerfigur „Spirit of Ecstasy". Früh schon eröffnete die Firma mit dem seit 1914 einsetzenden Bau von Flugzeugmotoren ein neues Geschäftsfeld. Vor allem im Verlauf des Zweiten Weltkriegs wurde dieser Geschäftsbereich immer bedeutender. Während andere Automobilhersteller im Zuge der Weltwirtschaftskrise große Schwierigkeiten hatten, konnte Rolls-Royce expandieren. 17 Jahre nach dem Bau des ersten Flugmotors konnte man den Konkurrenten Bentley übernehmen. Doch auch Rolls-Royce geriet in große Schwierigkeiten, als sie sich mit der Entwicklung einer neuen Flugantriebstechnik übernahmen. 1971 musste das Unternehmen daher Konkurs anmelden und wurde verstaatlicht. Die neuen Geschäftsführer trennten den Fahrzeugbau und den Flugmotorenbau zwei Jahre später. In den nachfolgenden Jahren gab es mehrere Besitzerwechsel des traditionsreichen Autobauers. 1998 kaufte das bayerische Unternehmen BMW Rolls-Royce und startete einen Neubeginn mit dem Bau des Nobelfahrzeugs „Phantom".

Name: Klasse: Datum:

 Klett
© Ernst Klett Verlag GmbH, Stuttgart 2010. | www.klett.de |
TERRA Kompetenzen entwickeln 2 GWG | ISBN: 978-3-12-104058-2 |
für: TERRA GWG 2 Gymnasium Baden-Württemberg | ISBN: 978-3-623-27821-6

Jahr	Ereignis
1904	Henry Royce (Ingenieur) und Charles Rolls (Kaufmann) gründen in Manchester die Firma Rolls-Royce Limited (1)
1906	„Rolls-Royce 40/50 HP" stellt neuen Langstreckenrekord auf, gilt als bestes Auto der Welt (1)
1914	Beginn der Flugmotorenproduktion (1)
1931	Rolls-Royce übernimmt Bentley (1)
1971	Rolls-Royce meldet Konkurs an und wird verstaatlicht (1)
1973	Trennung des Fahrzeugbaus vom Flugmotorenbau (1)
1998	BMW kauft Rolls-Royce und baut den „Phantom" (1)

| stimmt | 5 Punkte | stimmt überwiegend | 4 Punkte | stimmt teilweise | 3 Punkte | stimmt nicht | 2 – 0 Punkte |

Punkteverteilung: Jede Nennung ergibt einen Punkt, die Gesamtpunktzahl beträgt jedoch 5 Punkte

b) Ich kann statistische Angaben zu verschiedenen Wirtschaftsbereichen in geeigneten Diagrammen darstellen. (S. 108/109)

8 Stelle die Fahrzeugproduktion der Jahre 2007 und 2008 in den bedeutendsten europäischen Produktionsländern in einer geeigneten Grafik dar.

(__ /5 P.)

Land	Fahrzeugproduktion	
	2007	2008
Frankreich	2 550 859	2 145 935
Deutschland	5 709 139	5 532 030
Italien	910 680	659 221
Spanien	2 308 774	2 013 861
Großbritannien	1 534 567	1 446 619

Daten: Verband der Automobilindustrie (VDA), Berlin, www.vda.de

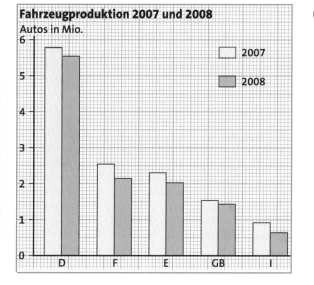

Fahrzeugproduktion 2007 und 2008
Autos in Mio.

| stimmt | 5 Punkte | stimmt überwiegend | 4 Punkte | stimmt teilweise | 3 Punkte | stimmt nicht | 2 – 0 Punkte |

c) Ich kann Diagramme mit Prozentangaben lesen. (S. 110/111)

9 Ermittle den Anteil der Beschäftigten in den großen Wirtschaftsbereichen Deutschlands für die Jahre 1995 und 2010.

(__ /5 P.)

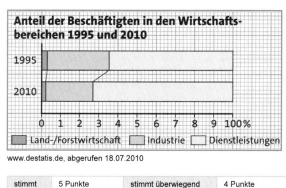

Anteil der Beschäftigten in den Wirtschafts-bereichen 1995 und 2010

Land-/Forstwirtschaft   Industrie   Dienstleistungen

www.destatis.de, abgerufen 18.07.2010

Beschäftigte nach Wirtschaftsbereichen		
Wirtschaftsbereich	1995	2010
Land- und Forstwirtschaft	3 %	2 %
Industrie	32 %	25 %
Dienstleistungen	65 %	73 %

| stimmt | 5 Punkte | stimmt überwiegend | 4 Punkte | stimmt teilweise | 3 Punkte | stimmt nicht | 2 – 0 Punkte |

Name: _____   Klasse: _____   Datum: _____

© Ernst Klett Verlag GmbH, Stuttgart 2010. | www.klett.de |
TERRA Kompetenzen entwickeln 2 GWG | ISBN: 978-3-12-104058-2 |
für: TERRA GWG 2 Gymnasium Baden-Württemberg | ISBN: 978-3-623-27821-6

1 ▶ Beantworte die folgenden Aufgaben mit Hilfe der Atlaskarte „Europa Wirtschaft"
(Haack-Atlas, S. 110/111).

a) Benenne die sechs größten europäischen Industriegebiete, die eine hohe Industrie- und
Siedlungsdichte aufweisen. (___/6 P.)

b) Nenne die vorherrschenden Industriezweige folgender europäischer Industriestädte: (___/5 P.)

Bordeaux: _____

Gijon: _____

Warschau: _____

Bergen: _____

Bukarest: _____

b) Nenne je vier bedeutende europäische Standorte folgender Industriezweige: (___/6 P.)

Chemischen Industrie: _____

Textilindustrie: _____

Nahrungsmittel: _____

2 ▶ Erkläre den Begriff „Zulieferbetrieb" am Beispiel der Möbelindustrie. (___/3 P.)

3 ▶ Streiche in jeder Reihe den nicht passenden Begriff und begründe deine Entscheidung. (___/4 P.)

Automobilbau	Chemische Industrie	Schreiner	Möbelindustrie

Begründung: _____

Rohstoff	Energie	Fertigprodukt	Zwischenprodukt

Begründung: _____

Name: **Klasse:**   **Datum:**

🙬 Klett   © Ernst Klett Verlag GmbH, Stuttgart 2010. | www.klett.de |
TERRA Kompetenzen entwickeln 2 GWG | ISBN: 978-3-12-104058-2 |
für: TERRA GWG 2 Gymnasium Baden-Württemberg | ISBN: 978-3-623-27821-6

96

| Wolfsburg | Stuttgart | München | Freiburg |

Begründung: _____

| Universität | Oberlandesgericht | Technologiepark | Freizeitmöglichkeit |

Begründung: _____

4 **Ein Professor für Industriegeographie zeichnet die beiden Skizzen auf ein Blatt Papier, um grundlegende Eigenarten einzelner Industriezweige zu erklären.**

a) Erläutere anhand eines konkreten Beispiels, welcher Industriezweig mit dieser Zeichnung dargestellt werden soll.

(___ / 3 P.)

■ Rohstoff
△ Zwischenprodukt
● Endprodukt
🏭 Industriebetrieb

_____
_____
_____
_____

b) Erläutere anhand eines konkreten Beispiels, welcher Industriezweig mit dieser Zeichnung dargestellt werden soll.

(___ / 3 P.)

■ Rohstoff
△ Zwischenprodukt
● Endprodukt
🏭 Industriebetrieb

_____
_____
_____
_____
_____

Gesamtpunktzahl: (___ / 30 P.)

Note:

Name: **Klasse:** **Datum:**

 Klett
© Ernst Klett Verlag GmbH, Stuttgart 2010. | www.klett.de |
TERRA Kompetenzen entwickeln 2 GWG | ISBN: 978-3-12-104058-2 |
für: TERRA GWG 2 Gymnasium Baden-Württemberg | ISBN: 978-3-623-27821-6

1 **Beantworte die folgenden Aufgaben mit Hilfe der Atlaskarte „Europa Wirtschaft"** (Haack-Atlas, S. 110/111).

a) Benenne die sechs größten europäischen Industriegebiete, die eine hohe Industrie- und Siedlungsdichte aufweisen.   (__ /6 P.)

Mittelengland (1), Rhein-Ruhr (1), Saar-Lor-Lux (1), Paris (1), Lille (1), Mailand (1),

Oberschlesien (1), Rhein-Main (Frankfurt) (1), Lyon (1), Madrid (1), Wien (1)

b) Nenne die vorherrschenden Industriezweige folgender europäischer Industriestädte: (__ /5 P.)

Bordeaux: Metallverarbeitung, Maschinenbau, Fahrzeugbau, chemische Industrie

Gijon: Eisenverhüttung, Stahlerzeugung, Leichtmetallverhüttung

Warschau: Metallverarbeitung, Maschinenbau, Fahrzeugbau

Bergen: Metallverarbeitung, Maschinenbau, Fahrzeugbau, Nahrungsmittel, Genussmittel

Bukarest: Metallverarbeitung, Maschinenbau, Fahrzeugbau, Elektronik, Elektrotechnik,

Feinmechanik, Textilien, Bekleidung

b) Nenne je vier bedeutende europäische Standorte folgender Industriezweige: (__ /6 P.)

Chemischen Industrie: Paris, Köln, Ludwigshafen, Valencia, Hamburg, Kopenhagen, Wien

Textilindustrie: Barcelona, Rom, Lyon, Basel, Timisoara, Mailand, Limoges, Lille, Minsk

Nahrungsmittel: Bergen, Murcia, Vigo, Porto, Hull, Biarritz, Nis, Libau

2 Erkläre den Begriff „Zulieferbetrieb" am Beispiel der Möbelindustrie.   (__ /3 P.)

Zulieferbetriebe fertigen einzelne Bauteile für die Erstellung eines Fertigprodukts. In der

Möbelindustrie werden beispielsweise Griffe für Schranktüren oder Schubladen, Stoffe und

Leder für Sitzmöbel, Glasscheiben für Schrankeinsätze oder Matratzen für Betten

zugeliefert.

3 Streiche in jeder Reihe den nicht passenden Begriff und begründe deine Entscheidung.   (__ / 4 P.)

| Automobilbau | Chemische Industrie | ~~Schreiner~~ | Möbelindustrie |

Begründung: Schreiner ist ein Handwerk, die anderen Begriffe sind Industriezweige.

| Rohstoff | ~~Energie~~ | Fertigprodukt | Zwischenprodukt |

Begründung: Energie ist eine nicht sichtbare Kraftquelle, die anderen Begriffe sind

erkennbare Schritte im Produktionsprozess.

Name: Klasse: Datum:

 Klett   © Ernst Klett Verlag GmbH, Stuttgart 2010. | www.klett.de |
TERRA Kompetenzen entwickeln 2 GWG | ISBN: 978-3-12-104058-2 |
für: TERRA GWG 2 Gymnasium Baden-Württemberg | ISBN: 978-3-623-27821-6

98

Wolfsburg	Stuttgart	München	~~Freiburg~~

Begründung: Freiburg ist kein Standort der Automobilindustrie.

Universität	~~Oberlandesgericht~~	Technologiepark	Freizeitmöglichkeit

Begründung: Ein Oberlandesgericht ist nicht zwingend ein Standortfaktor der Hightech-

Branche.

4 Ein Professor für Industriegeographie zeichnet die beiden Skizzen auf ein Blatt Papier, um grundlegende Eigenarten einzelner Industriezweige zu erklären.

a) Erläutere anhand eines konkreten Beispiels, welcher Industriezweig mit dieser Zeichnung dargestellt werden soll.

(__ / 3 P.)

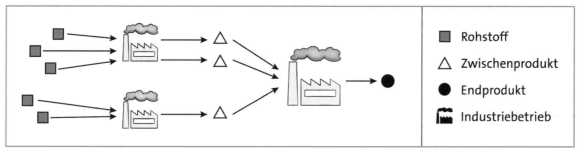

Dargestellt ist ein Industriezweig, in dem viele Zulieferer viele verschiedene Einzelteile

herstellen und an eine Fabrik liefern, in der dann ein Fertigprodukt hergestellt wird.

Ein Beispiel für diese Art von Industrie ist die Automobilindustrie.

b) Erläutere anhand eines konkreten Beispiels, welcher Industriezweig mit dieser Zeichnung dargestellt werden soll.

(__ / 3 P.)

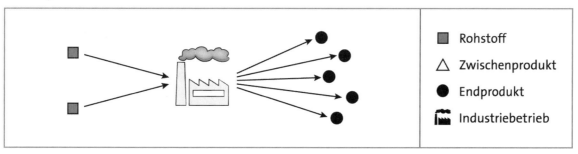

Dargestellt ist ein Industriezweig, in dem aus wenigen Rohstoffen eine Vielzahl unter-

schiedlicher Produkte hergestellt werden. Ein Beispiel für diese Art von Industrie ist

die Chemische Industrie.

30–26 Punkte = 1
25–22 Punkte = 2
21–17 Punkte = 3
16–13 Punkte = 4
12–6 Punkte = 5
5–0 Punkte = 6

Gesamtpunktzahl: (__ / 30 P.)

Note:

Name: **Klasse:**   **Datum:**

 Klett
© Ernst Klett Verlag GmbH, Stuttgart 2010. | www.klett.de |
TERRA Kompetenzen entwickeln 2 GWG | ISBN: 978-3-12-104058-2 |
für: TERRA GWG 2 Gymnasium Baden-Württemberg | ISBN: 978-3-623-27821-6

1 In diesem Buchstabensalat sind neun Begriffe versteckt, welche mit der Industrie in Europa in Verbindung stehen.

Markiere die Begriffe im Buchstabenraster.

C	W	T	T	G	K	T	O	B	J	R	G	U	R	W	H	L	D	P
W	H	Ö	Z	U	L	I	E	F	E	R	B	E	T	R	I	E	B	S
S	A	E	C	R	S	N	G	Q	R	K	Y	L	D	E	G	L	K	T
C	X	W	M	G	R	O	H	S	T	O	F	F	E	H	H	V	X	A
H	T	R	T	I	M	U	E	N	F	R	E	D	S	X	T	L	P	N
W	I	N	D	G	S	T	R	I	M	G	E	B	R	H	E	G	T	D
E	H	D	K	O	E	C	Ü	L	K	I	U	Z	T	D	C	O	F	O
R	Q	S	C	T	U	L	H	J	E	G	F	N	A	T	H	S	S	R
I	N	D	U	S	T	R	I	E	G	E	B	I	E	T	F	N	M	T
N	W	J	T	W	B	B	I	K	I	Ö	K	S	Z	F	I	E	K	F
D	W	N	L	U	G	T	B	N	R	N	E	N	H	W	R	T	T	A
U	L	Z	V	N	R	D	N	F	E	F	D	S	O	R	M	Ö	O	K
S	N	B	I	F	E	B	A	W	S	D	L	U	S	G	A	W	R	T
T	F	A	H	R	Z	E	U	G	B	A	U	D	S	Z	C	N	Ö	O
R	L	O	Ü	P	B	H	N	F	L	S	E	W	P	T	E	H	K	R
I	R	S	N	D	G	W	S	L	T	Z	M	R	T	Z	R	K	L	T
E	L	S	I	W	H	E	I	F	E	L	H	R	G	E	Z	I	Ö	V
P	T	E	C	H	N	O	L	O	G	I	E	P	A	R	K	G	E	L

2 Schreibe die Begriffe an die richtige Stelle des Lösungsgitters.

S

F

U

F

R

G

H

C

T

3 Das sich daraus ergebende Lösungswort ist ein wichtiger europäischer Industriestandort. Recherchiere, welches Industrieprodukt dort hergestellt wird.

Lösungswort

_____

_____

_____

4 Gib zu jedem der Begriffe ein Beispiel (evtl. aus deiner Umgebung).

Schwerindustrie: _____

Fahrzeugbau: _____

Chemische Industrie: _____

Rohstoffe: _____

Zulieferbetrieb: _____

Standortfaktor: _____

Industriegebiet: _____

Technologiepark: _____

High-Tech-Firma: _____

Name: _____   **Klasse:** _____   **Datum:** _____

© Ernst Klett Verlag GmbH, Stuttgart 2010. | www.klett.de |
TERRA Kompetenzen entwickeln 2 GWG | ISBN: 978-3-12-104058-2 |
für: TERRA GWG 2 Gymnasium Baden-Württemberg | ISBN: 978-3-623-27821-6

1 In diesem Buchstabensalat sind neun Begriffe versteckt, welche mit der Industrie in Europa in Verbindung stehen.

Markiere die Begriffe im Buchstabenraster.

C	W	T	T	G	K	T	O	B	J	R	G	U	R	W	H	L	D	P
W	H	Ö	Z	U	L	I	E	F	E	R	B	E	T	R	I	E	B	S
S	A	E	C	R	S	N	G	Q	R	K	Y	L	D	E	G	L	K	T
C	X	W	M	G	R	O	H	S	T	O	F	F	E	H	H	V	X	A
H	T	R	T	I	M	U	E	N	F	R	E	D	S	X	T	L	P	N
W	I	N	D	G	S	T	R	I	M	G	E	B	R	H	E	G	T	D
E	H	D	K	O	E	C	Ü	L	K	I	U	Z	T	D	C	O	F	O
R	Q	S	C	T	U	L	H	J	E	G	F	N	A	T	H	S	S	R
I	N	D	U	S	T	R	I	E	G	E	B	I	E	T	F	N	M	T
N	W	J	T	W	B	B	I	K	I	Ö	K	S	Z	F	I	E	K	F
D	W	N	L	U	G	T	B	N	R	N	E	N	H	W	R	T	T	A
U	L	Z	V	N	R	D	N	F	E	F	D	S	O	R	M	Ö	O	K
S	N	B	I	F	E	B	A	W	S	D	L	U	S	G	A	W	R	T
T	F	A	H	R	Z	E	U	G	B	A	U	D	S	Z	C	N	Ö	O
R	L	O	Ü	P	B	H	N	F	L	S	E	W	P	T	E	H	K	R
I	R	S	N	D	G	W	S	L	T	Z	M	R	T	Z	R	K	L	T
E	L	S	I	W	H	E	I	F	E	L	H	R	G	E	Z	I	Ö	V
P	T	E	C	H	N	O	L	O	G	I	E	P	A	R	K	G	E	L

2 Schreibe die Begriffe an die richtige Stelle des Lösungsgitters.

	S	C	H	W	E	R	I	N	D	U	S	T	R	I	E	
		R	O	H	S	T	O	F	F	E						
		Z	U	L	I	E	F	E	R	B	E	T	R	I	E	B
			F	A	H	R	Z	E	U	G	B	A	U			
			S	T	A	N	D	O	R	T	F	A	K	T	O	R

I N D U S T R I E G E B I E T

C H E M I S C H E I N D U S T R I E

T E C H N O L O G I E P A R K

H I G H T E C H F I R M A

3 Das sich daraus ergebende Lösungswort ist ein wichtiger europäischer Industriestandort. Recherchiere, welches Industrieprodukt dort hergestellt wird.

Lösungswort W O L F S B U R G

Recherche zum Wirtschaftsstandort: In Wolfsburg steht mit dem VW-Werk die derzeit größte Automobilproduktionsstätte der Welt. In dem seit Ende der 1930er Jahre errichteten Werk wurde anfangs der VW Käfer, später der VW Golf produziert.

4 Gib zu jedem der Begriffe ein Beispiel (evtl. aus deiner Umgebung).

Schwerindustrie: Eisen- und Stahlerzeugung z.B. in Nova Huta, Polen, Duisburg, Deutschland.
Fahrzeugbau: Daimler-Benz Produktion in Sindelfingen, Bremen und Rastatt oder Porsche-Produktion in Stuttgart
Chemische Industrie: BASF in Ludwigshafen oder Bayer in Leverkusen
Rohstoffe: z.B. Eisenerz, Kohle, Salz, Schwefel,
Zulieferbetrieb: z.B. Autositze für die Automobilproduktion
Standortfaktor: z.B. hochqualifizierte Mitarbeiter, Universität und Forschungseinrichtung sowie Freizeitmöglichkeiten im Fall der High-Tech-Industrie
Industriegebiet: z.B. Stuttgart-Zuffenhausen; Porsche-Produktion u.a. Industrieunternehmen
Technologiepark: z.B. Technologiepark Karlsruhe
High-Tech-Firma: z.B. Nokia, Siemens

Name: _____ Klasse: _____ Datum: _____

 Klett

© Ernst Klett Verlag GmbH, Stuttgart 2010. | www.klett.de |
TERRA Kompetenzen entwickeln 2 GWG | ISBN: 978-3-12-104058-2 |
für: TERRA GWG 2 Gymnasium Baden-Württemberg | ISBN: 978-3-623-27821-6

101

Bezug zum Bildungsplan Geographie und Wirtschaft/Kompetenzübersicht
Die Schülerinnen und Schüler können …
M1 Basisinformationen aus Karten, Atlaskarten, (…), Diagrammen, (…), Ablaufschemata, Statistiken, (…), Bildern, Texten erfassen und einfache geographische Darstellungsmöglichkeiten selbst anfertigen;
S6 **Ausstattung und Funktion eines ausgewählten Verdichtungsraumes verstehen;**
S7 politische und räumliche Einheiten in Deutschland unter Beachtung des Maßstabswechsels lokalisieren, beschreiben und ihnen entsprechende Funktionen zuweisen;
S13 Exemplarisch die Grundzüge von Produktionsketten und einer damit verbundenen Arbeitsteilung zwischen Erzeugung, Verarbeitung und Vermarktung und Konsum (Nutzung) beschreiben;
S14 Am Beispiel eines ausgewählten Wirtschaftsraumes die Grundvoraussetzungen wirtschaftlicher Produktion aufzeigen;
Sw2 Formen der Arbeitsteilung unterscheiden;
Sw7 erste Eindrücke aus der Berufs- und Arbeitswelt wiedergeben.

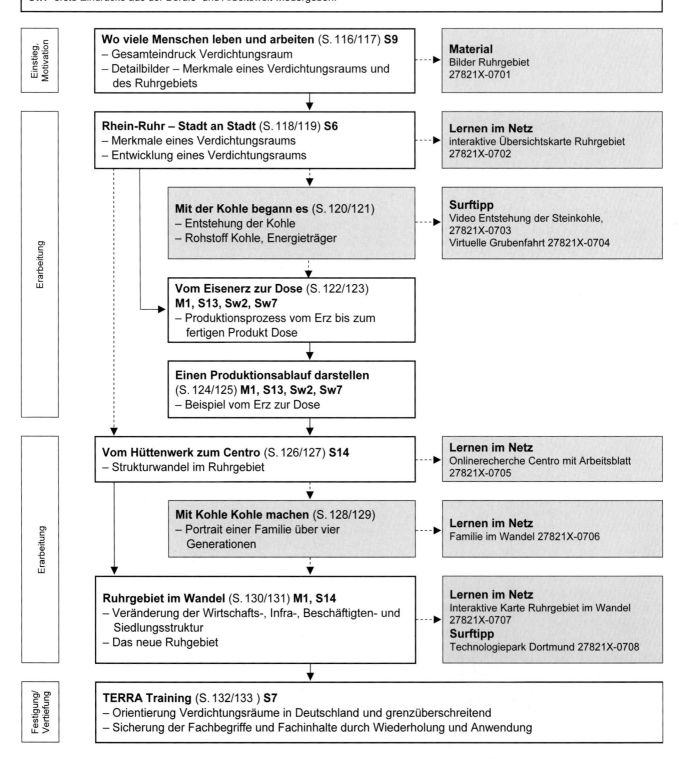

Einstieg, Motivation

Wo viele Menschen leben und arbeiten (S. 116/117) **S9**
– Gesamteindruck Verdichtungsraum
– Detailbilder – Merkmale eines Verdichtungsraums und des Ruhrgebiets

Material
Bilder Ruhrgebiet
27821X-0701

Erarbeitung

Rhein-Ruhr – Stadt an Stadt (S. 118/119) **S6**
– Merkmale eines Verdichtungsraums
– Entwicklung eines Verdichtungsraums

Lernen im Netz
interaktive Übersichtskarte Ruhrgebiet
27821X-0702

Mit der Kohle begann es (S. 120/121)
– Entstehung der Kohle
– Rohstoff Kohle, Energieträger

Surftipp
Video Entstehung der Steinkohle,
27821X-0703
Virtuelle Grubenfahrt 27821X-0704

Vom Eisenerz zur Dose (S. 122/123)
M1, S13, Sw2, Sw7
– Produktionsprozess vom Erz bis zum fertigen Produkt Dose

Einen Produktionsablauf darstellen
(S. 124/125) **M1, S13, Sw2, Sw7**
– Beispiel vom Erz zur Dose

Erarbeitung

Vom Hüttenwerk zum Centro (S. 126/127) **S14**
– Strukturwandel im Ruhrgebiet

Lernen im Netz
Onlinerecherche Centro mit Arbeitsblatt
27821X-0705

Mit Kohle Kohle machen (S. 128/129)
– Portrait einer Familie über vier Generationen

Lernen im Netz
Familie im Wandel 27821X-0706

Ruhrgebiet im Wandel (S. 130/131) **M1, S14**
– Veränderung der Wirtschafts-, Infra-, Beschäftigten- und Siedlungsstruktur
– Das neue Ruhgebiet

Lernen im Netz
Interaktive Karte Ruhrgebiet im Wandel
27821X-0707
Surftipp
Technologiepark Dortmund 27821X-0708

Festigung/ Vertiefung

TERRA Training (S. 132/133) **S7**
– Orientierung Verdichtungsräume in Deutschland und grenzüberschreitend
– Sicherung der Fachbegriffe und Fachinhalte durch Wiederholung und Anwendung

Inhaltsfelder mit Seitenangaben (Bezug zum Schülerbuch), fakultative Elemente sind grau hinterlegt
(M= Fachspezifische Methodenkompetenz, S = Sachkompetenz)

 Klett © Ernst Klett Verlag GmbH, Stuttgart 2010. | www.klett.de |
TERRA Kompetenzen entwickeln 2 GWG | ISBN: 978-3-12-104058-2 |
für: TERRA GWG 2 Gymnasium Baden-Württemberg | ISBN: 978-3-623-27821-6

	stimmt	stimmt überwiegend	stimmt teilweise	stimmt nicht

1. Orientierungskompetenz

a) Ich kann die Region Rhein-Ruhr auf einer Karte zeigen. (S. 132)				
b) Ich kann drei Flüsse in der Region Rhein-Ruhr benennen. (S. 118)				
c) Ich kann fünf Städte der Region Rhein-Ruhr zuordnen. (S. 118)				
d) Ich kann fünf Verdichtungsräume in Deutschland benennen. (S. 132)				
e) Ich kann die Lage dieser Verdichtungsräume bestimmen. (S. 132)				

2. Sachkompetenz

a) Ich kann drei zentrale Merkmale eines Verdichtungsraums bestimmen. (S. 118)				
b) Ich kann den Fachbegriff Standortfaktor erklären. (S. 119/120)				
c) Ich kann die Entwicklung des Ruhrgebiets zum Verdichtungsraum erklären. (S. 119)				
d) Ich kann Veränderungen durch den Strukturwandel im Ruhrgebiet beschreiben. (S. 126/127; S. 130/131)				
e) Ich kann begründen, warum man im Ruhrgebiet Landschaftsparks angelegt hat. (S. 130)				

3. Methodenkompetenz

a) Ich kann anhand eines Beispiels einen Produktionsprozess in einzelne Produktionsschritte gliedern. (S. 124/125)				

Name: **Klasse:** **Datum:**

 Klett © Ernst Klett Verlag GmbH, Stuttgart 2010. | www.klett.de |
TERRA Kompetenzen entwickeln 2 GWG | ISBN: 978-3-12-104058-2 |
für: TERRA GWG 2 Gymnasium Baden-Württemberg | ISBN: 978-3-623-27821-6

1. Orientierungskompetenz

a) Ich kann die Region Rhein-Ruhr auf einer Karte zeigen. (S. 132)

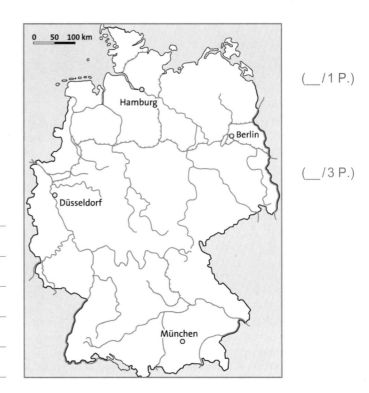

▮1▶ Markiere in der Deutschlandkarte die Lage der Region Rhein-Ruhr mit einem Kreuz.

(___/1 P.)

b) Ich kann drei Flüsse in der Region Rhein-Ruhr benennen. (S. 118)

▮2▶ Benenne drei Flüsse in der Region Rhein-Ruhr.

(___/3 P.)

_____

_____

_____

_____

_____

c) Ich kann fünf Städte der Region Rhein-Ruhr zuordnen. (S. 118)

▮3▶ Ordne die Städte der Region Rhein-Ruhr richtig zu. Kreuze, die richtige Antwort an.

(___/5 P.)

Stadt	Ist in der Region Rhein-Ruhr
Essen	
Frankfurt	
Wiesbaden	
Dortmund	
Duisburg	
Hamm	
Hannover	
Gelsenkirchen	

d) Ich kann fünf Verdichtungsräume in Deutschland benennen. (S. 132)

▮4▶ Benenne fünf große Verdichtungsräume in Deutschland.

(___/5 P.)

_____

_____

_____

Name: _____ **Klasse:** _____ **Datum:** _____

© Ernst Klett Verlag GmbH, Stuttgart 2010. | www.klett.de |
TERRA Kompetenzen entwickeln 2 GWG | ISBN: 978-3-12-104058-2 |
für: TERRA GWG 2 Gymnasium Baden-Württemberg | ISBN: 978-3-623-27821-6

e) Ich kann die Lage dieser Verdichtungsräume bestimmen. (S. 132)

5 Trage die von dir genannten Verdichtungsräume mit den Zahlen 1–5 in die Karte (S. 1) ein.   (__ /5 P.)

---

2. Sachkompetenz

a) Ich kann drei zentrale Merkmale eines Verdichtungsraums bestimmen. (S. 118)

6 Bestimme drei zentrale Merkmale eines Verdichtungsraums. Kreuze die richtigen und falschen Aussagen an.   (__ /6 P.)

	richtig	falsch
In einem Verdichtungsraum gibt es überwiegend Grünlandwirtschaft.		
In einem Verdichtungsraum gibt es Gewerbe- und Industriegebiete aber keine Siedlungs- oder Wohngebiete.		
In einem Verdichtungsraum leben auf einer begrenzten Fläche sehr viele Menschen.		
In einem Verdichtungsraum liegen besonders viele Industrie- und Gewerbegebiete.		
In einem Verdichtungsraum gibt es keinerlei Freizeitanlagen.		
In einem Verdichtungsraum gibt es besonders viele Straßen, Autobahnen, Eisenbahnlinien und andere Verkehrsflächen		

b) Ich kann den Fachbegriff Standortfaktor erklären. (S. 119/120)

7 Erkläre den Fachbegriff Standortfaktor.   (__ /3 P.)

---

c) Ich kann die Entwicklung des Ruhrgebiets zum Verdichtungsraum erklären. (S. 119)

8 Erkläre die Entwicklung des Ruhrgebiets zum Verdichtungsraum. Verwende dabei folgende Begriffe: Standortfaktor, Bergwerke, Verkehrsanbindung, Energierohstoff, Städtewachstum.   (__ /7 P.)

Name: **Klasse:**   **Datum:**

 Klett

© Ernst Klett Verlag GmbH, Stuttgart 2010. | www.klett.de |
TERRA Kompetenzen entwickeln 2 GWG | ISBN: 978-3-12-104058-2 |
für: TERRA GWG 2 Gymnasium Baden-Württemberg | ISBN: 978-3-623-27821-6

d) Ich kann Veränderungen durch den Strukturwandel im Ruhrgebiet beschreiben.
(S. 126–131)

9▸ Entscheide, welche der Beschreibungen zutreffen und welche nicht. (__/6 P.)

	richtig	falsch
Im Ruhrgebiet arbeiten nicht mehr so viele Menschen im Bergbau und der Eisen-und Stahlindustrie wie vor 50 Jahren.		
Es sind viele neue Arbeitsplätze entstanden, vor allem im Dienstleistungssektor.		
In den letzten Jahren ist der Bergbau wieder wichtig geworden und stellt immer mehr Arbeitsplätze.		
Viele brachliegende Flächen werden neu genutzt.		
Heute prägen immer mehr Hochöfen die Landschaft.		
Im Gegensatz zu früher gibt es heute ein großes kulturelles Angebot und viele Theater und Museen.		

e) Ich kann begründen, warum man im Ruhrgebiet Landschaftsparks angelegt hat. (S. 130)

10▸ Begründe, warum man im Ruhrgebiet Landschaftsparks angelegt hat. (__/4 P.)
Verbinde die Satzbausteine zu richtigen Aussagen.

Im Ruhrgebiet hat man Landschaftsparks angelegt, weil	… so das Angebot an Sport und Freizeiteinrichtungen in den Städten des Ruhrgebiets erhöht wurde.
	… mehr Grün in die Städte des Ruhrgebiets kam und das Wohnen dort attraktiver wurde.
	… so Flächen für die Ansiedlung neuer Firmen entstanden.
	… viele neue Läden und Boutiquen eröffneten und so mehr Einkaufsmöglichkeiten für die Bewohner des Ruhrgebiets geschaffen wurden.

3. Methodenkompetenz

a) Ich kann an Hand eines Beispiels einen Produktionsprozess in einzelne Produktionsschritte gliedern. (S. 124/125)

11▸ Stelle den gesamten Produktionsprozess mit den einzelnen Produktionsschritten in einem (__/7 P.)
Ablaufschema dar.

Eisenerz wird gebrochen, gemahlen, gesiebt und dabei der größte Teil des Gesteins abgetrennt. Das Feinerz wird mit Kalkstein in Sinteranlagen zusammengebacken und zu kleinen Stücken gebrochen, dem Stückerz. Im Hochofen entsteht aus den Rohstoffen Eisenerz, Koks und Kalk das flüssige Roheisen. Da dieses noch Verunreinigungen enthält, muss es im Stahlwerk weiterbearbeitet werden und der Rohstahl entsteht. Bevor nun dieser Rohstahl zu Blech wird, müssen die Rohstahlblöcke gewalzt werden. Je nach Stärke des Bleches spricht man von Grobblech oder Feinblech. Das Blech wird zu verschiedenen Produkten weiterverarbeitet z.B. zu Dosen oder Autokarosserien.

Name: Klasse: Datum:

 © Ernst Klett Verlag GmbH, Stuttgart 2010. | www.klett.de |
TERRA Kompetenzen entwickeln 2 GWG | ISBN: 978-3-12-104058-2 |
für: TERRA GWG 2 Gymnasium Baden-Württemberg | ISBN: 978-3-623-27821-6

106

Alle Rechte vorbehalten. Von dieser Druckvorlage ist die Vervielfältigung für den eigenen Unterrichtsgebrauch gestattet. Die Kopiergebühren sind abgegolten. Für Veränderungen durch Dritte übernimmt der Verlag keine Verantwortung.

1. Orientierungskompetenz

a) Ich kann die Region Rhein-Ruhr auf einer Karte zeigen. (S. 132)

1▶ Markiere in der Deutschlandkarte die Lage der Region Rhein-Ruhr.

(__ /1 P.)

stimmt	1 Punkt	stimmt überwiegend	–
stimmt teilweise	–	stimmt nicht	0 Punkte

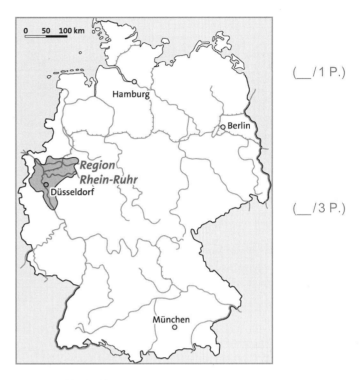

b) Ich kann drei Flüsse in der Region Rhein-Ruhr benennen. (S. 118)

2▶ Benenne drei Flüsse in der Region Rhein-Ruhr.

(__ /3 P.)

Ruhr, Emscher, Lippe, Rhein

stimmt	3 Punkte	stimmt überwiegend	2 Punkte
stimmt teilweise	1 Punkt	stimmt nicht	0 Punkte

c) Ich kann fünf Städte der Region Rhein-Ruhr zuordnen. (S. 118)

3▶ Ordne die Städte der Region Rhein-Ruhr richtig zu. Kreuze, die richtige Antwort an.

(__ /5 P.)

Stadt	Ist in der Region Rhein-Ruhr
Essen	x
Frankfurt	
Wiesbaden	
Dortmund	x
Duisburg	x
Hamm	x
Hannover	
Gelsenkirchen	x

stimmt	5 Punkte	stimmt überwiegend	4 Punkte	stimmt teilweise	3 Punkt	stimmt nicht	2 – 0 Punkte
Punkteverteilung: für jedes falsche Kreuz 1 Punkt Abzug.							

d) Ich kann fünf Verdichtungsräume in Deutschland benennen. (S. 132)

4▶ Benenne fünf große Verdichtungsräume in Deutschland.

(__ /5 P.)

Region Rhein-Ruhr, Region Rhein-Main, Saar, Rhein-Neckar, Stuttgart, Würzburg,

Nürnberg/Erlangen, München, Chemnitz-Zwickau, Dresden, Leipzig, Berlin, Hamburg ...

stimmt	5 Punkte	stimmt überwiegend	4 Punkte	stimmt teilweise	3 Punkt	stimmt nicht	2 – 0 Punkte

Name: **Klasse:**   **Datum:**

 Klett

© Ernst Klett Verlag GmbH, Stuttgart 2010. | www.klett.de |
TERRA Kompetenzen entwickeln 2 GWG | ISBN: 978-3-12-104058-2 |
für: TERRA GWG 2 Gymnasium Baden-Württemberg | ISBN: 978-3-623-27821-6

e) Ich kann die Lage dieser Verdichtungsräume bestimmen. (S. 132)

5 Trage die von dir genannten Verdichtungsräume mit den Zahlen 1–5 in die Karte (S. 1) ein.   (___/5 P.)

Lösung: Vergleiche mit der Karte im Buch S. 132 oder im Haack Atlas S. 58

stimmt	5 Punkte	stimmt überwiegend	4 Punkte	stimmt teilweise	3 Punkt	stimmt nicht	2 – 0 Punkte

2. Sachkompetenz

a) Ich kann drei zentrale Merkmale eines Verdichtungsraums bestimmen. (S. 118)

6 Bestimme drei zentrale Merkmale eines Verdichtungsraums. Kreuze die richtigen und falschen Aussagen an.   (___/6 P.)

	richtig	falsch
In einem Verdichtungsraum gibt es überwiegend Grünlandwirtschaft.		x
In einem Verdichtungsraum gibt es Gewerbe- und Industriegebiete aber keine Siedlungs- oder Wohngebiete.		x
In einem Verdichtungsraum leben auf einer begrenzten Fläche sehr viele Menschen.	x	
In einem Verdichtungsraum liegen besonders viele Industrie- und Gewerbegebiete.	x	
In einem Verdichtungsraum gibt es keinerlei Freizeitanlagen.		x
In einem Verdichtungsraum gibt es besonders viele Straßen, Autobahnen, Eisenbahnlinien und andere Verkehrsflächen	x	

stimmt	6 Punkte	stimmt überwiegend	5 Punkte	stimmt teilweise	4 – 3 Punkte	stimmt nicht	2 – 0 Punkte

Punkteverteilung: Für jede falsche Antwort 1 Punkt Abzug

b) Ich kann den Fachbegriff Standortfaktor erklären. (S. 119/120)

7 Erkläre den Fachbegriff Standortfaktor.   (___/3 P.)

Ein Standortfaktor ist der Grund (1), weshalb sich ein Betrieb an einem bestimmten Ort

ansiedelt (1).

stimmt	3 Punkte	stimmt überwiegend	2 Punkte	stimmt teilweise	1 Punkt	stimmt nicht	0 Punkte

Punkteverteilung: Antwort im ganzen Satz = 1 Punkt

c) Ich kann die Entwicklung des Ruhrgebiets zum Verdichtungsraum erklären. (S. 119)

8 Erkläre die Entwicklung des Ruhrgebiets zum Verdichtungsraum. Verwende dabei folgende Begriffe: Standortfaktor, Bergwerke, Verkehrsanbindung, Energierohstoff, Städtewachstum.   (___/7 P.)

Die Steinkohle war der entscheidende Standortfaktor (1). Nachdem man Steinkohle in

Bergwerke abbauen konnte, hatte man genug Energierohstoffe (1) und in der Folge

siedelten sich Industriebetriebe an (1). Wichtig war auch die Verkehrsanbindung (Straße,

Wasser, Schiene) für den Transport der Rohstoffe und Fertigprodukte. (1) Viele Menschen

zogen in die Region, um hier zu arbeiten (1). Dies führte zum Wachstum der Städte. (1)

stimmt	7 Punkte	stimmt überwiegend	6 – 5 Punkte	stimmt teilweise	4 Punkte	stimmt nicht	3 – 0 Punkte

Punkteverteilung: Antwort im ganzen Satz = 1 Punkt

Name: _____   Klasse: _____   Datum: _____

© Ernst Klett Verlag GmbH, Stuttgart 2010. | www.klett.de |
TERRA Kompetenzen entwickeln 2 GWG | ISBN: 978-3-12-104058-2 |
für: TERRA GWG 2 Gymnasium Baden-Württemberg | ISBN: 978-3-623-27821-6

d) Ich kann Veränderungen durch den Strukturwandel im Ruhrgebiet beschreiben.
   (S. 126–131)

9 Entscheide, welche der Beschreibungen zutreffen und welche nicht.   (__/6 P.)

	richtig	falsch
Im Ruhrgebiet arbeiten nicht mehr so viele Menschen im Bergbau und der Eisen-und Stahlindustrie wie vor 50 Jahren.	X	
Es sind viele neue Arbeitsplätze entstanden, vor allem im Dienstleistungssektor.	X	
In den letzten Jahren ist der Bergbau wieder wichtig geworden und stellt immer mehr Arbeitsplätze.		X
Viele brachliegende Flächen werden neu genutzt.	X	
Heute prägen immer mehr Hochöfen die Landschaft.		X
Im Gegensatz zu früher gibt es heute ein großes kulturelles Angebot und viele Theater und Museen.	X	

stimmt	6 Punkte	stimmt überwiegend	5 Punkte	stimmt teilweise	4 – 3 Punkte	stimmt nicht	2 – 0 Punkte

e) Ich kann begründen, warum man im Ruhrgebiet Landschaftsparks angelegt hat. (S. 130)

10 Begründe, warum man im Ruhrgebiet Landschaftsparks angelegt hat.   (__/4 P.)
Verbinde die Satzbausteine zu richtigen Aussagen.

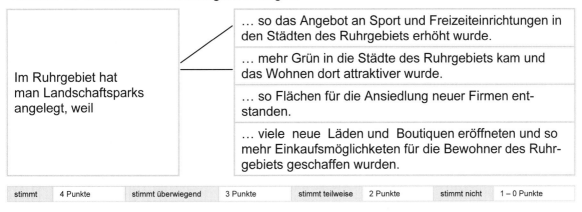

Im Ruhrgebiet hat man Landschaftsparks angelegt, weil	… so das Angebot an Sport und Freizeiteinrichtungen in den Städten des Ruhrgebiets erhöht wurde.
	… mehr Grün in die Städte des Ruhrgebiets kam und das Wohnen dort attraktiver wurde.
	… so Flächen für die Ansiedlung neuer Firmen entstanden.
	… viele neue Läden und Boutiquen eröffneten und so mehr Einkaufsmöglichketen für die Bewohner des Ruhrgebiets geschaffen wurden.

stimmt	4 Punkte	stimmt überwiegend	3 Punkte	stimmt teilweise	2 Punkte	stimmt nicht	1 – 0 Punkte

3. Methodenkompetenz

a) Ich kann an Hand eines Beispiels einen Produktionsprozess in einzelne Produktionsschritte gliedern. (S. 124/125)

11 Stelle den gesamten Produktionsprozess mit den einzelnen Produktionsschritten in einem   (__/7 P.)
Ablaufschema dar.

Eisenerz wird gebrochen, gemahlen, gesiebt und dabei der größte Teil des Gesteins abgetrennt. Das Feinerz wird mit Kalkstein in Sinteranlagen zusammengebacken und zu kleinen Stücken gebrochen, dem Stückerz. Im Hochofen entsteht aus den Rohstoffen Eisenerz, Koks und Kalk das flüssige Roheisen. Da dieses noch Verunreinigungen enthält, muss es im Stahlwerk weiterbearbeitet werden und der Rohstahl entsteht. Bevor nun dieser Rohstahl zu Blech wird, müssen die Rohstahlblöcke gewalzt werden. Je nach Stärke des Bleches spricht man von Grobblech oder Feinblech. Das Blech wird zu verschiedenen Produkten weiterverarbeitet z.B. zu Dosen oder Autokarosserien.

Herstellung von Feinerz (1) => Aufbereitung zu Stückerz (1) => Herstellung von Roheisen

(1) => Weiterverarbeitung zu Stahl (1) => Walzen der Rohstahlblöcke (1) => Entstehung von

Grobblech oder Feinblech (1) => Weiterverarbeitung (1)

stimmt	7 Punkte	stimmt überwiegend	6 – 5 Punkte	stimmt teilweise	4 Punkte	stimmt nicht	3 – 0 Punkte

Name: _____   Klasse: _____   Datum: _____

© Ernst Klett Verlag GmbH, Stuttgart 2010. | www.klett.de |
TERRA Kompetenzen entwickeln 2 GWG | ISBN: 978-3-12-104058-2 |
für: TERRA GWG 2 Gymnasium Baden-Württemberg | ISBN: 978-3-623-27821-6

1 Benenne, die Städte und den Fluss im Verdichtungsraum Rhein-Ruhr. (__/4 P.)

A _____

B _____

C _____

a _____

Stadt ═══ Autobahn ▬▬ Fluss ┅┅ Kanal

2 Verdichtungsräume in Deutschland

a) Benenne die drei auf der Karte markierten Verdichtungsräume. (__/3 P.)

I _____

II _____

III _____

b) Nenne zu jedem Verdichtungsraum ein Lagemerkmal. (__/3 P.)

I _____
_____

II _____
_____

III _____
_____

3 Nenne drei Merkmale eines Verdichtungsraums. (__/3 P.)

_____

_____

4 Kreuze an, ob die Aussagen richtig oder falsch sind. (__/5 P.)

Das Ruhrgebiet hat sich zu einem Verdichtungsraum entwickelt, weil …	richtig	falsch
… sehr intensiv Landwirtschaft betrieben wird.		
… dort große Kohlemengen gefördert wurden.		
… sich viele Industriebetriebe ansiedelten.		
… die Landschaft sehr hügelig ist.		
… die Einwohnerzahlen der Städte stark zunahmen.		

Name: _____ Klasse: _____ Datum: _____

© Ernst Klett Verlag GmbH, Stuttgart 2010. | www.klett.de |
TERRA Kompetenzen entwickeln 2 GWG | ISBN: 978-3-12-104058-2 |
für: TERRA GWG 2 Gymnasium Baden-Württemberg | ISBN: 978-3-623-27821-6

5 **Standortfaktor**

a) Erkläre den Begriff Standortfaktor. (__ / 2 P.)

_____

_____

b) Nenne drei Beispiele. (__ / 3 P.)

_____

_____

6 Beschreibe den Strukturwandel im Ruhrgebiet mithilfe der Statistik. (__ / 5 P.)

Beschäftigte im Ruhrgebiet	1999	2008
Bergbau	46 902	22 471
Industrie gesamt	367 565	302 789
– Davon Metallerzeugung und Bearbeitung	66 572	51 134
Dienstleistung überwiegend für Unternehmen	168 813	231 565
– Davon Datenverarbeitung	16 286	22 897

Quelle RVR, Essen

7 Der Strukturwandel verändert das Aussehen des Ruhrgebiets. Benenne mit dem Fachbegriff (__ / 4 P.)
die Maßnahmen und Einrichtungen, die umschrieben sind.

Beschreibung	Dies nennt man mit dem Fachbegriff ein, eine oder einen …
Man legte großflächige Parkanlagen mit Freizeitanlagen in den Städten an.	
Sie erleichtern es neuen Technikfirmen sich anzusiedeln.	
Durch verschiedene Baumaßnahmen, wie z.B. die Anlage von Fußgängerzonen oder die Sanierung ganzer Stadtteile sollen die Städte attraktiver werden.	
Sie sind wichtig für eine Region, in der viele Firmen mit Hochtechnologie (Hightech) gut ausgebildete Fachkräfte suchen und auf neueste Forschungsergebnisse angewiesen sind.	

Gesamtpunktzahl: (__ / 32 P.)

Note:

Name: Klasse: Datum:

© Ernst Klett Verlag GmbH, Stuttgart 2010. | www.klett.de |
TERRA Kompetenzen entwickeln 2 GWG | ISBN: 978-3-12-104058-2 |
für: TERRA GWG 2 Gymnasium Baden-Württemberg | ISBN: 978-3-623-27821-6

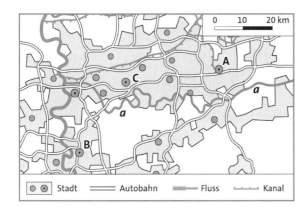

1 Benenne, die Städte und den Fluss im Verdichtungsraum Rhein-Ruhr. (___ / 2 P.)

A Dortmund

B Düsseldorf

C Essen

a Ruhr

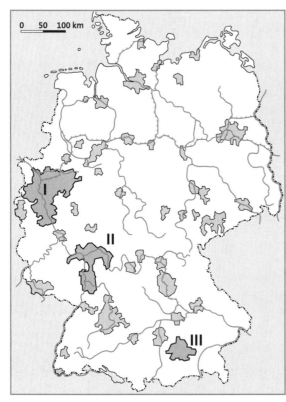

2 Verdichtungsräume in Deutschland

a) Benenne die drei auf der Karte markierten Verdichtungsräume. (___ / 3 P.)

I Rhein-Ruhr

II Rhein-Main

III München

b) Nenne zu jedem Verdichtungsraum ein Lagemerkmal. (___ / 3 P.)

I z.B. liegt an Rhein und Ruhr oder liegt

in Nordrhein-Westfalen

II z.B. erstreckt sich von Wiesbaden im

Norden nach Mannheim im Süden

III z.B. liegt im südlichen Bayern

3 Nenne drei Merkmale eines Verdichtungsraums. (___ / 3 P.)

Hohe Einwohnerdichte, Konzentration von Industrie, Gewerbe oder Verkehrsflächen,

hohe Arbeitsplatzdichte

4 Kreuze an, ob die Aussagen richtig oder falsch sind. (___ / 5 P.)

Das Ruhrgebiet hat sich zu einem Verdichtungsraum entwickelt, weil …	richtig	falsch
… sehr intensiv Landwirtschaft betrieben wird.		x
… dort große Kohlemengen gefördert wurden.	x	
… sich viele Industriebetriebe ansiedelten.	x	
… die Landschaft sehr hügelig ist.		x
… die Einwohnerzahlen der Städte stark zunahmen.	x	

Punkteverteilung: Für falsch angekreuzte Sachverhalte 1 Punkt Abzug

Name: Klasse: Datum:

 Klett
© Ernst Klett Verlag GmbH, Stuttgart 2010. | www.klett.de |
TERRA Kompetenzen entwickeln 2 GWG | ISBN: 978-3-12-104058-2 |
für: TERRA GWG 2 Gymnasium Baden-Württemberg | ISBN: 978-3-623-27821-6

5 Standortfaktor

a) Erkläre den Begriff Standortfaktor.

(__ / 2 P.)
Antwort als
vollständiger
Satz
1 Punkt.

Faktor, der z.B. für die Ansiedlung von Betrieben wichtig ist bzw. die Ansiedlung

von Betrieben begünstigt.

b) Nenne drei Beispiele.

(__ / 3 P.)

z.B. Rohstoffe, Arbeitskräfte, Flächen, Umgebung, Freizeitangebote ...

6 Beschreibe den Strukturwandel im Ruhrgebiet mithilfe der Statistik.

(__ / 5 P.)

Beschäftigte im Ruhrgebiet	1999	2008
Bergbau	46 902	22 471
Industrie gesamt	367 565	302 789
– Davon Metallerzeugung und Bearbeitung	66 572	51 134
Dienstleistung überwiegend für Unternehmen	168 813	231 565
– Davon Datenverarbeitung	16 286	22 897

Quelle RVR, Essen

Die Anzahl der Beschäftigten im Bergbau ist von 1999 bis 2008 stark zurückgegangen
(von 46 902 auf 22 471 Beschäftigte). Auch in der Industrie haben die Beschäftigtenzahlen
abgenommen (von 36 565 auf 302 789), davon sind allein 15 000 Beschäftigte aus der
Metallerzeugung und Bearbeitung, die stark zurückgegangen ist.
Einziger Wachstumsbereich ist der Dienstleistungssektor. (Die Arbeitsplätze sind von
168 813 auf 231 565 gestiegen). Im Bereich der Datenverarbeitung stieg die Zahl der
Arbeitsplätze an (von 16 286 auf 22 897).

7 Der Strukturwandel verändert das Aussehen des Ruhrgebiets. Benenne mit dem Fachbegriff
die Maßnahmen und Einrichtungen, die umschrieben sind.

(__ / 4 P.)

Beschreibung	Dies nennt man mit dem Fachbegriff ein, eine oder einen ...
Man legte großflächige Parkanlagen mit Freizeitanlagen in den Städten an.	Landschaftsparks
Sie erleichtern es neuen Technikfirmen sich anzusiedeln.	Technologiezentren
Durch verschiedene Baumaßnahmen, wie z.B. die Anlage von Fußgängerzonen oder die Sanierung ganzer Stadtteile sollen die Städte attraktiver werden.	Stadterneuerung
Sie sind wichtig für eine Region, in der viele Firmen mit Hochtechnologie (Hightech) gut ausgebildete Fachkräfte suchen und auf neueste Forschungsergebnisse angewiesen sind.	Universitäten

32–28 Punkte = 1
27–230 Punkte = 2
22–18 Punkte = 3
17–14 Punkte = 4
13–7 Punkte = 5
6–0 Punkte = 6

Gesamtpunktzahl: (__ / 32 P.)

Note:

Name: _____ Klasse: _____ Datum: _____

© Ernst Klett Verlag GmbH, Stuttgart 2010. | www.klett.de |
TERRA Kompetenzen entwickeln 2 GWG | ISBN: 978-3-12-104058-2 |
für: TERRA GWG 2 Gymnasium Baden-Württemberg | ISBN: 978-3-623-27821-6

1 Die Region Rhein-Ruhr ist der größte Verdichtungsraum in Europa. Bestimme mithilfe von Buch Seite 118, Abbildung 2 oder Atlas die Ausdehnung:

Ost-West-Ausdehnung: _____

Nord-Süd-Ausdehnung: _____

2 Ein Verdichtungsraum hat typische Merkmale. Ergänze die Platzhalter mit diesen Merkmalen.

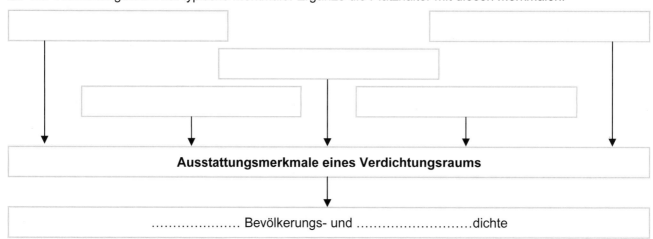

Ausstattungsmerkmale eines Verdichtungsraums

.... Bevölkerungs- und ....dichte

3 Ergänze mithilfe des Buchs Seite 132 und des Atlas.

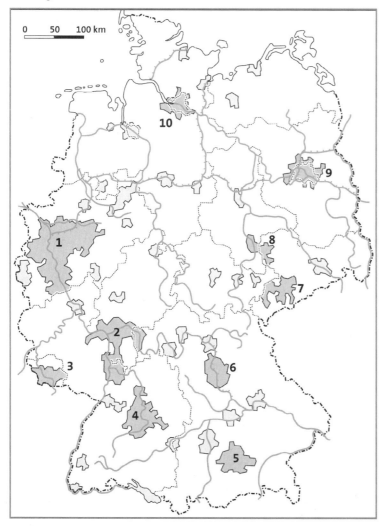

Zehn große deutsche Verdichtungsräume:

1 _____

2 _____

3 _____

4 _____

5 _____

6 _____

7 _____

8 _____

9 _____

10 _____

Name: _____   Klasse: _____   Datum: _____

 © Ernst Klett Verlag GmbH, Stuttgart 2010. | www.klett.de |
TERRA Kompetenzen entwickeln 2 GWG | ISBN: 978-3-12-104058-2 |
für: TERRA GWG 2 Gymnasium Baden-Württemberg | ISBN: 978-3-623-27821-6

114

1 Die Region Rhein-Ruhr ist der größte Verdichtungsraum in Europa. Bestimme mithilfe von Buch Seite 118, Abbildung 2 oder Atlas die Ausdehnung:

Ost-West-Ausdehnung: **ca. 140 (Mönchengladbach-Hamm)**

Nord-Süd-Ausdehnung: **ca. 130 (Wesel-Bonn)**

2 Ein Verdichtungsraum hat typische Merkmale. Ergänze die Platzhalter mit diesen Merkmalen.

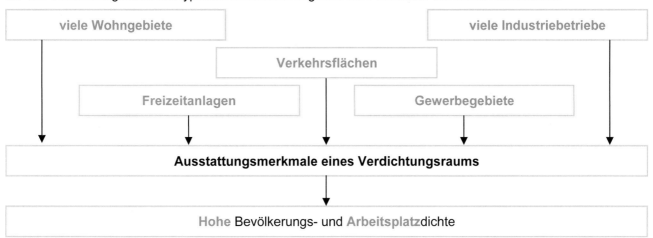

viele Wohngebiete		viele Industriebetriebe

Verkehrsflächen

Freizeitanlagen   Gewerbegebiete

Ausstattungsmerkmale eines Verdichtungsraums

Hohe Bevölkerungs- und **Arbeitsplatz**dichte

3 Ergänze mithilfe des Buchs Seite 132 und des Atlas.

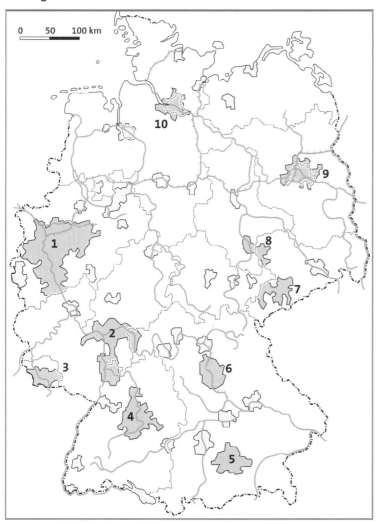

0   50   100 km

Zehn große deutsche Verdichtungsräume:

1 **Rhein-Ruhr**

2 **Rhein-Neckar**

3 **Saar**

4 **Stuttgart**

5 **München**

6 **Nürnberg, Fürth, Erlangen**

7 **Chemnitz/Zwickau**

8 **Halle/Leipzig**

9 **Berlin**

10 **Hamburg**

Name: _____   Klasse: _____   Datum: _____

Klett

© Ernst Klett Verlag GmbH, Stuttgart 2010. | www.klett.de |
TERRA Kompetenzen entwickeln 2 GWG | ISBN: 978-3-12-104058-2 |
für: TERRA GWG 2 Gymnasium Baden-Württemberg | ISBN: 978-3-623-27821-6

1 Informiere dich über den Begriff Standortfaktor und erkläre den Begriff.(Buch Seite 118/119 und 220)

_____

_____

2 Das Ruhrgebiet gehört zum größten deutschen Verdichtungsraum Rhein Ruhr.
a) Ergänze mithilfe der Schlagworte das zeitliche Ablaufschema, das die Entwicklung des Ruhrgebiets zum Verdichtungsraum darstellt. (Buch Seite 118/119).
Zuwanderung von Arbeitskräften; Eisen-,Stahl- und Walzwerke; Entstehung von Großstädten; Aufkommen des Steinkohlebergbaus; Ausbau der Verkehrswege; Zuwanderung von Arbeitskräften; Städtewachstum im 19.Jhd.; Wachstum der Industrie 20. Jhd.; Städtewachstum, Eingemeindungen
b) Präsentiere und erläutere das Ablaufschema mit zusätzlichen Informationen zu den einzelnen Schlagworten aus dem Text.

| Das Ruhrgebiet zu Beginn des 19. Jahrhunderts: Kleine Städte, Wiesen, Sümpfe, Wälder |

| Das Ruhrgebiet Mitte: EIN VERDICHTUNGSRAUM |

Name: _____ Klasse: _____ Datum: _____

© Ernst Klett Verlag GmbH, Stuttgart 2010. | www.klett.de |
TERRA Kompetenzen entwickeln 2 GWG | ISBN: 978-3-12-104058-2 |
für: TERRA GWG 2 Gymnasium Baden-Württemberg | ISBN: 978-3-623-27821-6

1 Informiere dich über den Begriff Standortfaktor und erkläre den Begriff.(Buch Seite 118/119 und 220)

Ein Standortfaktor ist der Grund für die Wahl eines Industriestandorts.

2 Das Ruhrgebiet gehört zum größten deutschen Verdichtungsraum Rhein Ruhr.
a) Ergänze mithilfe der Schlagworte das zeitliche Ablaufschema, das die Entwicklung des Ruhrgebiets zum Verdichtungsraum darstellt. (Buch Seite 118/119).
Zuwanderung von Arbeitskräften; Eisen-,Stahl- und Walzwerke; Entstehung von Großstädten; Aufkommen des Steinkohlebergbaus; Ausbau der Verkehrswege; Zuwanderung von Arbeitskräften; Städtewachstum im 19.Jhd.; Wachstum der Industrie 20. Jhd.; Städtewachstum, Eingemeindungen
b) Präsentiere und erläutere das Ablaufschema mit zusätzlichen Informationen zu den einzelnen Schlagworten aus dem Text.

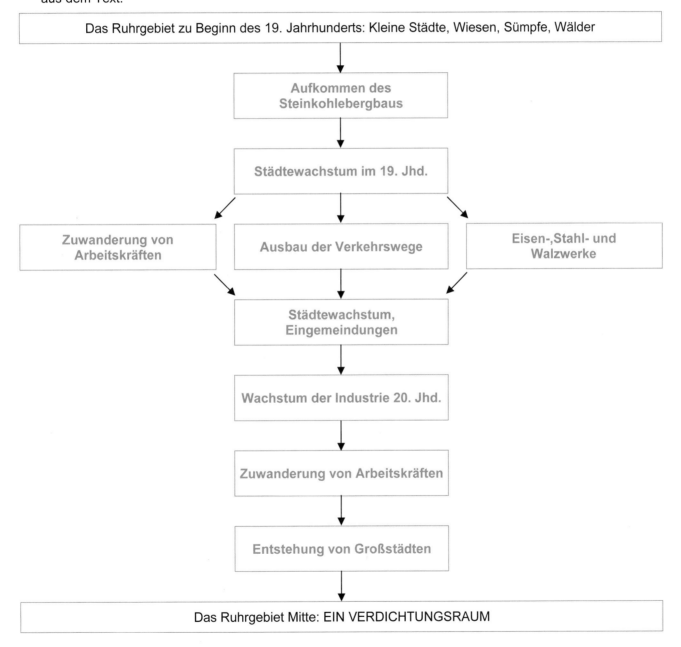

Das Ruhrgebiet zu Beginn des 19. Jahrhunderts: Kleine Städte, Wiesen, Sümpfe, Wälder

Aufkommen des Steinkohlebergbaus

Städtewachstum im 19. Jhd.

Zuwanderung von Arbeitskräften

Ausbau der Verkehrswege

Eisen-,Stahl- und Walzwerke

Städtewachstum, Eingemeindungen

Wachstum der Industrie 20. Jhd.

Zuwanderung von Arbeitskräften

Entstehung von Großstädten

Das Ruhrgebiet Mitte: EIN VERDICHTUNGSRAUM

Name: **Klasse:** **Datum:**

© Ernst Klett Verlag GmbH, Stuttgart 2010. | www.klett.de |
TERRA Kompetenzen entwickeln 2 GWG | ISBN: 978-3-12-104058-2 |
für: TERRA GWG 2 Gymnasium Baden-Württemberg | ISBN: 978-3-623-27821-6

1 Das Ruhrgebiet hat sich gewandelt. Die Veränderung der Wirtschaftsstruktur ändert auch die Beschäftigten-struktur, die Infrastruktur und die Siedlungsstruktur.
Finde Beispiele für diese Veränderungen (Buch Seite 130/131).

	früher	heute
Beschäftigtenstruktur		
Infrastruktur		
Siedlungsstruktur		

2 Der Wandel zeigt sich auch an den Tätigkeitsfeldern der Erwerbstätigen. Vergleiche die Diagramme (Buch Seite 130/131, Abb. 2 und 5 oder unter www.Klett.de/online > Online-Link 27821X-0710).

von 100 Erwerbstätigen arbeiten 1964	↔	von 100 Erwerbstätigen arbeiten 2004
im Bergbau		im Bergbau
in der Eisen und-Stahlindustrie		in der Eisen und-Stahlindustrie
in sonstigen Berufen		in sonstigen Berufen
in Dienstleitungsberufen		in Dienstleitungsberufen

Fazit:

3 Das Ruhrgebiet soll attraktiver werden. Für wen ist welche Maßnahmen wichtig oder wer nutzt welches Angebot in seiner Freizeit? Ordne die Personen den drei Bereichen zu (Buch S. 130/131).

Stefanie 30 und Jan 35: Wir sind beide in der Computerbranche tätig und vor drei Jahren hier her gezogen. Neben der attraktiven Arbeit gefällt und vor allem, das große Angebot an Popkonzerten und schicken Szenetreffs. Außerdem sind wir beide Sportfans und joggen regelmäßig oder sind auf unseren Inlinern unterwegs.

Lena 13: Meine Familie lebt schon lange hier, Mein Opa war Bergmann, aber mein Vater arbeitet an der Uni. Meine Mutter arbeitet bei der Stadtverwaltung. Sie sind beide Theaterfans. Ich verbringe meine Freizeit am liebsten bei den Pferden.

Maria, 20: Ich treff mich gern mit meinen Freundinnen in der Stadt und wir gehen bummeln.

Kurt 60: Meine große Leiden-schaft ist der Fußball. Ich lasse kein Spiel meiner Mannschaft aus.

Stadterneuerung:	Anlage von Revierparks:	Museen, Theater und mehr

4 Wie hängt das zusammen? Verbinde was zusammengehört (Buch Seite 130/ 131).

Für Hightechfirmen ist wichtig, dass sie	Hochspezialisierte Arbeitskräfte für die Computerindustrie
erfolgreiche Firmen neue Betriebsflächen.	In Technologiezentren werden
werden an den Universitäten ausgebildet.	In Technologieparks finden
in der Nähe von Forschungseinrichtungen ihren Standort haben.	neu gegründete Firmen gefördert.

Name: Klasse: Datum:

© Ernst Klett Verlag GmbH, Stuttgart 2010. | www.klett.de |
TERRA Kompetenzen entwickeln 2 GWG | ISBN: 978-3-12-104058-2 |
für: TERRA GWG 2 Gymnasium Baden-Württemberg | ISBN: 978-3-623-27821-6

118

1 Das Ruhrgebiet hat sich gewandelt. Die Veränderung der Wirtschaftsstruktur ändert auch die Beschäftigtenstruktur, die Infrastruktur und die Siedlungsstruktur.
Finde Beispiele für diese Veränderungen (Buch Seite 130/131).

	früher	**heute**
Beschäftigtenstruktur	Bergleute, Stahlarbeiter	IT-Fachleute, Kaufleute
Infrastruktur	Kanäle, Eisenbahn, riesige Flächen für Betriebe	Autobahn, Flughafennähe, Datenleitungen, Forschungseirichtungen
Siedlungsstruktur	Bergarbeitersiedlung, Arbeitersiedlung, Großbetriebe, Schornsteine	Bürogebäude, Freizeitanlagen, Theater, Museen

2 Der Wandel zeigt sich auch an den Tätigkeitsfeldern der Erwerbstätigen. Vergleiche die Diagramme (Buch Seite 130/131, Abb. 2 und 5 oder unter www.Klett.de/online > Online-Link 27821X-0710).

von 100 Erwerbstätigen arbeiten 1964		↔	von 100 Erwerbstätigen arbeiten 2004	
13	im Bergbau		3	im Bergbau
12	in der Eisen und-Stahlindustrie		3	in der Eisen und-Stahlindustrie
37	in sonstigen Berufen		27	in sonstigen Berufen
38	in Dienstleitungsberufen		67	in Dienstleitungsberufen

Fazit: Alle Bereiche sind zurückgegangen nur, die Berufe im Dienstleistungsbereich haben zugenommen.

3 Das Ruhrgebiet soll attraktiver werden. Für wen ist welche Maßnahmen wichtig oder wer nutzt welches Angebot in seiner Freizeit? Ordne die Personen den drei Bereichen zu (Buch S. 130/131).

Stefanie 30 und Jan 35: Wir sind beide in der Computerbranche tätig und vor drei Jahren hier her gezogen. Neben der attraktiven Arbeit gefällt und vor allem, das große Angebot an Popkonzerten und schicken Szenetreffs. Außerdem sind wir beide Sportfans und joggen regelmäßig oder sind auf unseren Inlinern unterwegs.

Lena 13: Meine Familie lebt schon lange hier, Mein Opa war Bergmann, aber mein Vater arbeitet an der Uni. Meine Mutter arbeitet bei der Stadtverwaltung. Sie sind beide Theaterfans. Ich verbringe meine Freizeit am liebsten bei den Pferden.

Maria, 20: Ich treff mich gern mit meinen Freundinnen in der Stadt und wir gehen bummeln.

Kurt 60: Meine große Leidenschaft ist der Fußball. Ich lasse kein Spiel meiner Mannschaft aus.

Stadterneuerung:	**Anlage von Revierparks:**	**Museen, Theater und mehr**
Maria	Lena, Kurt, Stefanie und Jan	Stefanie und Jan, Lenas Eltern

4 Wie hängt das zusammen? Verbinde was zusammengehört (Buch Seite 130/ 131).

Für Hightechfirmen ist wichtig, dass sie in der Nähe von Forschungseinrichtungen ihren Standort haben.

In Technologieparks finden erfolgreiche Firmen neue Betriebsflächen.

Hochspezialisierte Arbeitskräfte für die Computerindustrie werden an den Universitäten ausgebildet.

In Technologiezentren werden neu gegründete Firmen gefördert.

Name: _____ Klasse: _____ Datum: _____

 Klett

© Ernst Klett Verlag GmbH, Stuttgart 2010. | www.klett.de |
TERRA Kompetenzen entwickeln 2 GWG | ISBN: 978-3-12-104058-2 |
für: TERRA GWG 2 Gymnasium Baden-Württemberg | ISBN: 978-3-623-27821-6

119

1▶ Stelle die Entwicklung der Bevölkerung insgesamt und der ausländischen Bevölkerung von Duisburg und dem Ruhrgebiet in einem geeigneten Diagramm dar.

Jahr	Duisburg Bev.	Ausländer (davon)	Ruhrgebiet Bev.	Ausländer (davon)
1990	535 447	82 792	5 396 208	520 603
2000	514 915	80 198	5 359 228	592 513
2008	494 048	74 535	5 203 100	559 915

Quelle: RVR, Essen

2▶ Stelle die Veränderungen der Beschäftigtenzahlen von Duisburg, dem Ruhrgebiet und Nordrhein-Westfalen in geeigneten Diagrammen dar.

Kohlenbergbau:

Jahr	Duisburg	Ruhrgebiet	Nordrhein-Westfalen
1999	3 800	44 364	60 005
2008	1 448	20 590	30 330

Quelle: RVR, Essen

Dienstleistungen für Unternehmen:

Jahr	Duisburg	Ruhrgebiet	Nordrhein-Westfalen
1999	11 607	131 330	445 670
2008	14 384	180 246	651 275

Quelle: RVR, Essen

3▶ Zur Auswertung der Diagramme ergänze den folgenden Text.

Die Einwohnerzahl von _____ und dem _____ geht zurück, die Zahl der

ausländischen _____ nimmt in _____ ab, im _____ nimmt

sie von _____ bis _____ zu, danach etwas ab. In Duisburg ist etwa jeder siebte

_____ ein Ausländer, im _____ etwa jeder neunte.

Im _____ geht die Zahl der _____ zurück. Im _____

und in _____ um die Hälfte, in _____ fast um zwei Drittel.

Der _____ Sektor nimmt überall zu.

Der _____ im Ruhrgebiet bzw. in Duisburg zeigt sich in einem _____ des Kohlen-

bergbaus, einer Zunahme der _____, aber auch in einem _____ der Bevölkerung.

Name: _____ **Klasse:** _____ **Datum:** _____

© Ernst Klett Verlag GmbH, Stuttgart 2010. | www.klett.de |
TERRA Kompetenzen entwickeln 2 GWG | ISBN: 978-3-12-104058-2 |
für: TERRA GWG 2 Gymnasium Baden-Württemberg | ISBN: 978-3-623-27821-6

120

1 Stelle die Entwicklung der Bevölkerung insgesamt und der ausländischen Bevölkerung von Duisburg und dem Ruhrgebiet in einem geeigneten Diagramm dar.

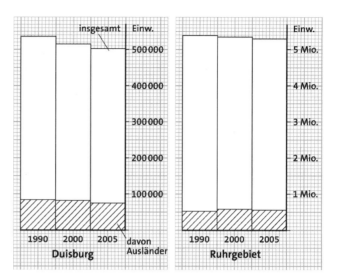

Jahr	Duis-burg Bev.	Aus-länder (davon)	Ruhr-gebiet Bev.	Aus-länder (davon)
1990	535 447	82 792	5 396 208	520 603
2000	514 915	80 198	5 359 228	592 513
2008	494 048	74 535	5 203 100	559 915

Quelle: RVR, Essen

2 Stelle die Veränderungen der Beschäftigtenzahlen von Duisburg, dem Ruhrgebiet und Nordrhein-Westfalen in geeigneten Diagrammen dar.

Kohlenbergbau:

Jahr	Duisburg	Ruhrgebiet	Nordrhein-Westfalen
1999	3 800	44 364	60 005
2008	1 448	20 590	30 330

Quelle: RVR, Essen

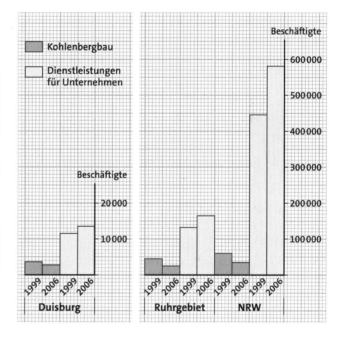

Dienstleistungen für Unternehmen:

Jahr	Duisburg	Ruhrgebiet	Nordrhein-Westfalen
1999	11 607	131 330	445 670
2008	14 384	180 246	651 275

Quelle: RVR, Essen

3 Zur Auswertung der Diagramme ergänze den folgenden Text.

Die Einwohnerzahl von ___Duisburg___ und dem ___Ruhrgebiet___ geht zurück, die Zahl der

ausländischen ___Bevölkerung___ nimmt in ___Duisburg___ ab, im ___Ruhrgebiet___ nimmt

sie von ___1990___ bis ___2000___ zu, danach etwas ab. In Duisburg ist etwa jeder siebte

___Einwohner___ ein Ausländer, im ___Ruhrgebiet___ etwa jeder neunte.

Im ___Kohlenbergbau___ geht die Zahl der ___Beschäftigten___ zurück. Im ___Ruhrgebiet___

und in ___Nordrhein-Westfalen___ um die Hälfte, in ___Duisburg___ fast um zwei Drittel.

Der ___tertiäre___ Sektor nimmt überall zu.

Der ___Strukturwandel___ im Ruhrgebiet bzw. in Duisburg zeigt sich in einem ___Rückgang___ des Kohlen-

bergbaus, einer Zunahme der ___Dienstleistungen___, aber auch in einem ___Rückgang___ der Bevölkerung.

Name: Klasse: Datum:

© Ernst Klett Verlag GmbH, Stuttgart 2010. | www.klett.de |
TERRA Kompetenzen entwickeln 2 GWG | ISBN: 978-3-12-104058-2 |
für: TERRA GWG 2 Gymnasium Baden-Württemberg | ISBN: 978-3-623-27821-6

Bezüge zum Bildungsplan/Kompetenzübersicht
Die Schülerinnen und Schüler können …
M1 Basisinformationen **aus Karten,** Atlaskarten, Profilen, **Diagrammen,** Klimadiagrammen, Ablaufschemata, Statistiken, Modelle, Bildern, Luftbildern und Texten erfassen und **einfache geographische Darstellungsmöglichkeiten** selbst anfertigen;
S8 Europa hinsichtlich physischer, politischer und kultureller Gegebenheiten gliedern und über ein gefestigtes Orientierungsraster Europas verfügen.

Einstieg, Motivation

AT Verkehr in Europa (S. 134/135)
– Verkehrswege und Verkehrsprojekte

Zusatzangebote im Netz
www.Klett.de/online

Erarbeitung

Brücken und Tunnel verbinden (S. 136/137) **M1**
– Eurotunnel, Öresundbrücke und Brücke nach Sizilien als große Verkehrsprojekte

Verkehrsknoten Frankfurt (S. 138/139) **M1**
– Entwicklung des Frankfurter Flughafens
– Frankfurt als Verkehrsknotenpunkt
– Flugverkehr und Flughäfen in Europa

Surftipp
Fraport AG 27821X-0801

Ein Kartogramm erstellen (S. 140/141) **M1**
– Handlungsalgorithmus zur Erstellung eines Kartogramms
– Beispiel: Anteile der Verkehrsträger in ausgewählten Ländern

Auf Europas wichtigster Wasserstraße (S. 142/143) **M1**
– Güterverkehr auf europäischen Wasserstraßen
– Bedeutung eines Güterverkehrszentrums und des kombinierten Verkehrs

Surftipp
Unterwegs mit dem Binnenschiff MS Moira 27821X-0802

Orientierung: Verkehr (S. 148/149) **M1, S8**
– Hochgeschwindigkeitszüge in Europa
– Güterverkehr in Europa

Surftipp
Infos zum Verkehr in Europa 27821X-0803

Vertiefung/Übung

Auf Routensuche durch das Transitland Deutschland (S. 144–147) **M1**
– Fallbeispiel Spedition Grieshaber: Güterumschlag mit Bahn, LKW oder Binnenschiff – Transportkosten von Rotterdam nach Bukarest bzw. Budapest
– Bedeutung des Transitverkehrs
– Bewertung der Verkehrsmittel aus ökologischer Sicht

Lernen im Netz
Animation Containerhandel 27821X-0804

Festigung

TERRA Training (S. 150/151)
– Sicherung durch Wiederholung und Anwendung

Material
Selbsteinschätzung 27821X-0805
Kompetenzcheck 27821X-0806

Inhaltsfelder mit Seitenangaben (Bezug zum Schülerbuch), fakultative Elemente sind grau hinterlegt
(M= Fachspezifische Methodenkompetenz, S = Sachkompetenz)

 © Ernst Klett Verlag GmbH, Stuttgart 2010. | www.klett.de |
TERRA Kompetenzen entwickeln 2 GWG | ISBN: 978-3-12-104058-2 |
für: TERRA GWG 2 Gymnasium Baden-Württemberg | ISBN: 978-3-623-27821-6

	stimmt	stimmt überwiegend	stimmt teilweise	stimmt nicht

1. Orientierungskompetenz

	stimmt	stimmt überwiegend	stimmt teilweise	stimmt nicht
a) Ich kann mithilfe von Atlaskarten jeweils zwei bedeutende Verkehrsachsen in Europa für die Binnenschifffahrt und den Eisenbahnverkehr benennen. (Atlas)				
b) Ich kann eine Reiseroute von meinem Heimatort nach Rom mit dem Flugzeug und mit dem Auto beschreiben. (Atlas)				

2. Sachkompetenz

	stimmt	stimmt überwiegend	stimmt teilweise	stimmt nicht
a) Ich kann die Bedeutung des Eurotunnels und der Öresundbrücke für den Verkehr in Europa erläutern. (S. 136/137)				
b) Ich kann begründen, warum Frankfurt ein bedeutender Verkehrsknoten in Europa ist. (S. 138/139)				
c) Ich kann drei Vorteile der Binnenschifffahrt gegenüber anderen Verkehrsmitteln nennen. (S. 142/143)				
d) Ich kann die Begriffe Transitverkehr und Binnenverkehr erklären. (S. 144/145)				
e) Ich kann die Lage von Güterverkehrszenten an Flüssen und Autobahnkreuzen begründen. (S. 144/145)				

3. Methodenkompetenz

	stimmt	stimmt überwiegend	stimmt teilweise	stimmt nicht
a) Ich kann Diagramme zur Entwicklung des Personen- und LKW-Verkehrs im Eurotunnel auswerten. (S. 136/137)				
b) Ich kann Angaben zum Passagier- und Frachtaufkommen für die größten Flughäfen Europas in einem geeigneten Diagramm darstellen. (S. 138)				

Name: **Klasse:**   **Datum:**

© Ernst Klett Verlag GmbH, Stuttgart 2010. | www.klett.de |
TERRA Kompetenzen entwickeln 2 GWG | ISBN: 978-3-12-104058-2 |
für: TERRA GWG 2 Gymnasium Baden-Württemberg | ISBN: 978-3-623-27821-6

1. Orientierungskompetenz

a) Ich kann mithilfe von Atlaskarten jeweils zwei bedeutende Verkehrsachsen in Europa für die Binnenschifffahrt und den Eisenbahnverkehr benennen. (Atlas)

1▶ Nenne mithilfe einer Atlaskarte je zwei bedeutende Verkehrsachsen für die Binnenschifffahrt und den Eisenbahnverkehr in Europa.   (___ / 4 P.)

b) Ich kann eine Reiseroute von meinem Heimatort nach Rom mit dem Flugzeug und mit dem Auto beschreiben. (Atlas)

2▶ Beschreibe eine Reiseroute von deinem Heimatort nach Rom mit dem Flugzeug (von dem am nächsten gelegenen Flughafen) und mit dem Auto.   (___ / 6 P.)

Flugzeug: _____

Auto: _____

2. Sachkompetenz

a) Ich kann die Bedeutung des Eurotunnels für den Verkehr in Europa erläutern. (S. 136/137)

3▶ Erläutere die Bedeutung des Eurotunnels für den Verkehr in Europa.   (___ / 4 P.)

b) Ich kann begründen, warum Frankfurt ein bedeutender Verkehrsknoten in Europa ist. (S. 138/139)

4▶ Begründe, warum Frankfurt ein bedeutender Verkehrsknoten in Europa ist.   (___ / 4 P.)

Name: _____   Klasse: _____   Datum: _____

 Klett

© Ernst Klett Verlag GmbH, Stuttgart 2010. | www.klett.de |
TERRA Kompetenzen entwickeln 2 GWG | ISBN: 978-3-12-104058-2 |
für: TERRA GWG 2 Gymnasium Baden-Württemberg | ISBN: 978-3-623-27821-6

124

Alle Rechte vorbehalten. Von dieser Druckvorlage ist die Vervielfältigung für den
eigenen Unterrichtsgebrauch gestattet. Die Kopiergebühren sind abgegolten.
Für Veränderungen durch Dritte übernimmt der Verlag keine Verantwortung.

c) Ich kann drei Vorteile der Binnenschifffahrt gegenüber anderen Verkehrsmitteln nennen. (S. 142/143)

5 Kreuze an, welche drei Aussagen Vorteile der Binnenschifffahrt gegenüber anderen Verkehrsmitteln darstellen.   (___/3 P.)

☐ kostengünstiger Transport ☐ hohe Sicherheit für die transportierten Güter

☐ sehr schnell ☐ Angebot von Schiffen für spezielle Güter (Spezialschiffe)

☐ wetterunabhängig ☐ geringe Stillstandzeiten

☐ umweltfreundlich ☐ an das Wasserstraßennetz gebunden

d) Ich kann die Begriffe Transitverkehr und Binnenverkehr erklären. (S. 144/145)

6 Erkläre die Begriffe Transitverkehr und Binnenverkehr.   (___/6 P.)

Transitverkehr: _____

_____

_____

_____

Binnenverkehr: _____

_____

_____

_____

e) Ich kann die Lage von Güterverkehrszenten an Flüssen und Autobahnkreuzen begründen. (S. 144/145)

7 Begründe die Lage von Güterverkehrszentren an Flüssen und Autobahnkreuzen.   (___/3 P.)

_____

_____

_____

_____

_____

_____

_____

Name: **Klasse:** **Datum:**

 Klett

© Ernst Klett Verlag GmbH, Stuttgart 2010. | www.klett.de |
TERRA Kompetenzen entwickeln 2 GWG | ISBN: 978-3-12-104058-2 |
für: TERRA GWG 2 Gymnasium Baden-Württemberg | ISBN: 978-3-623-27821-6

125

3. Methodenkompetenz

a) Ich kann Diagramme zur Entwicklung des Personen- und LKW-Verkehrs im Eurotunnel auswerten. (S. 136/137)

8▸ Ermittle aus den Diagrammen für das Jahr 2001 den Anteil des Eurotunnels am gesamten Kanalverkehr für Reisende und Lkws bzw. Waggons. (___/4 P.)

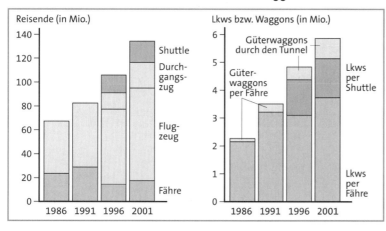

b) Ich kann Angaben zum Passagier- und Frachtaufkommen für die größten Flughäfen Europas in einem geeigneten Diagramm darstellen. (S. 138)

9▸ Stelle die Angaben in der Tabelle in einem Diagramm dar. (___/8 P.)

Die größten Flughäfen in Europa 2008		
	Passagiere (in Mio.)	**Fracht** (in Mio. t)
London (H.)	67,05	1,49
Paris (CDG)	60,05	2,20
Frankfurt	53,46	2,11
Madrid	50,82	0,33
Amsterdam	47,42	1,60
Barcelona	38,60	0,10
Rom	35,13	0,15
München	34,53	0,26

Preliminary World Airport Traffic 2008. Airport Council International
(ACI), 17. März 2009, abgerufen am 12. Mai 2009
http://de.wikipedia.org/wiki/Liste_der_größten_Verkehrsflughäfen;
abgerufen am 12.06.2010

Name: **Klasse:**   **Datum:**

 Klett

© Ernst Klett Verlag GmbH, Stuttgart 2010. | www.klett.de |
TERRA Kompetenzen entwickeln 2 GWG | ISBN: 978-3-12-104058-2 |
für: TERRA GWG 2 Gymnasium Baden-Württemberg | ISBN: 978-3-623-27821-6

1. Orientierungskompetenz

a) Ich kann mithilfe von Atlaskarten jeweils zwei bedeutende Verkehrsachsen in Europa für die Binnenschifffahrt und den Eisenbahnverkehr benennen. (Atlas)

1 Nenne mithilfe einer Atlaskarte je zwei bedeutende Verkehrsachsen für die Binnenschifffahrt und den Eisenbahnverkehr in Europa. (__ /4 P.)

z.B. Rhein, Mittellandkanal, Donau / London-Paris, Paris-Marseille, Berlin-Frankfurt

stimmt	4 Punkte	stimmt überwiegend	3 Punkte	stimmt teilweise	2 Punkte	stimmt nicht	1 – 0 Punkte

b) Ich kann eine Reiseroute von meinem Heimatort nach Rom mit dem Flugzeug und mit dem Auto beschreiben. (Atlas)

2 Beschreibe eine Reiseroute von deinem Heimatort nach Rom mit dem Flugzeug (von dem am nächsten gelegenen Flughafen) und mit dem Auto. (__ /6 P.)

Flugzeug: Fahrt vom Heimatort mit dem Auto, Zug oder der S-Bahn zum Flughafen

Stuttgart/Frankfurt/Basel/Zürich/Karlsruhe und Direktflug nach Rom.

Auto: Fahrt vom Heimatort zur A 8 nach München und weiter in Richtung Salzburg/

Innsbruck. Am Autobahndreieck Inntal Weiterfahrt Richtung Brenner-Autobahn.

Vom Brenner weiter Richtung Verona, Bologna und Florenz nach Rom.

stimmt	6 Punkte	stimmt überwiegend	5 Punkte	stimmt teilweise	4 – 3 Punkte	stimmt nicht	2 – 0 Punkte

2. Sachkompetenz

a) Ich kann die Bedeutung des Eurotunnels für den Verkehr in Europa erläutern. (S. 136/137)

3 Erläutere die Bedeutung des Eurotunnels für den Verkehr in Europa. (__ /4 P.)

Der Eurotunnel verbindet die Insel Großbritannien mit dem europäischen Festland. (1)

Mit dem Eisenbahntunnel können Passagiere, Güter und Autos/Lkws schneller (1) und vor

allem wetterunabhängiger (1) transportiert werden. Der Eurotunnel ist ein wichtiger (1)

Bestandteil des europäischen Verkehrsnetzes und eine Alternative zum Flug Paris-London.

stimmt	4 Punkte	stimmt überwiegend	3 Punkte	stimmt teilweise	2 Punkte	stimmt nicht	1 – 0 Punkte

b) Ich kann begründen, warum Frankfurt ein bedeutender Verkehrsknoten in Europa ist. (S. 138/139)

4 Begründe, warum Frankfurt ein bedeutender Verkehrsknoten in Europa ist. (__ /4 P.)

Frankfurt ist ein bedeutender Verkehrsknoten in Europa, weil

– jedes Jahr über 50 Millionen Passagiere dort abfliegen und ankommen,

– über 300 Ziele in 110 Ländern erreicht werden können,

– neben dem Passagierverkehr auch Güter (Luftfracht) transportiert werden,

– die Stadt ein Knotenpunkt im europäischen Schienenverkehr ist (Hochgeschwindigkeitszüge),

– ein internationaler Verkehrsknoten für den PKW/LKW-Verkehrs ist (Autobahndrehkreuz).

stimmt	4 Punkte	stimmt überwiegend	3 Punkte	stimmt teilweise	2 Punkte	stimmt nicht	1 – 0 Punkte

Punkteverteilung: Jeweils 1 Punkt je Grund, 4 Punkte maximal.

Name: Klasse: Datum:

 Klett

© Ernst Klett Verlag GmbH, Stuttgart 2010. | www.klett.de |
TERRA Kompetenzen entwickeln 2 GWG | ISBN: 978-3-12-104058-2 |
für: TERRA GWG 2 Gymnasium Baden-Württemberg | ISBN: 978-3-623-27821-6

c) Ich kann drei Vorteile der Binnenschifffahrt gegenüber anderen Verkehrsmitteln nennen. (S. 142/143)

5 Kreuze an, welche drei Aussagen Vorteile der Binnenschifffahrt gegenüber anderen Verkehrs-   (___/3 P.)
mitteln darstellen.

[x]	kostengünstiger Transport	[ ]	hohe Sicherheit für die transportierten Güter
[ ]	sehr schnell	[x]	Angebot von Schiffen für spezielle Güter (Spezialschiffe)
[ ]	wetterunabhängig	[ ]	geringe Stillstandzeiten
[x]	umweltfreundlich	[ ]	an das Wasserstraßennetz gebunden

stimmt	3 Punkte	stimmt überwiegend	2 Punkte	stimmt teilweise	1 Punkt	stimmt nicht	0 Punkte

Punkteverteilung: Jeweils 1 Punkt Abzug für ein Kreuz an der falschen Stelle.

d) Ich kann die Begriffe Transitverkehr und Binnenverkehr erklären. (S. 144/145)

6 Erkläre die Begriffe Transitverkehr und Binnenverkehr.   (___/4 P.)

Transitverkehr: Personen- oder Güterverkehr durch ein Land (1), welches weder Ausgangsort noch Zielort der Fahrt ist (1), bzw. der Verkehr von einem Land in ein anderes Land wobei ein drittes Land durchquert werden muss.

Binnenverkehr: Bezeichnung für den Verkehr innerhalb eines Gebietes (1), z.B. eines Staates, eines Bundeslandes oder einer Stadt (1).

stimmt	4 Punkte	stimmt überwiegend	3 Punkte	stimmt teilweise	2 Punkte	stimmt nicht	1 – 0 Punkte

e) Ich kann die Lage von Güterverkehrszenten an Flüssen und Autobahnkreuzen begründen. (S. 144/145)

7 Begründe die Lage von Güterverkehrszentren an Flüssen und Autobahnkreuzen.   (___/3 P.)

Aus der Lage an Flüssen und Autobahnkreuzen ergeben sich große Vorteile bei der Verteilung von Waren (1). Güterverkehrszentren an Flüssen ermöglichen die Nutzung des kombinierten Verkehrs zwischen Schiff und Straße oder Eisenbahn (1). Aus der Lage an Autobahnkreuzen ergeben sich Vorteile in der Verteilung der Waren zum Endverbraucher durch kürzere Lieferzeiten (1).

stimmt	3 Punkte	stimmt überwiegend	2 Punkte	stimmt teilweise	1 Punkt	stimmt nicht	0 Punkte

Name: Klasse: Datum:

© Ernst Klett Verlag GmbH, Stuttgart 2010. | www.klett.de |
TERRA Kompetenzen entwickeln 2 GWG | ISBN: 978-3-12-104058-2 |
für: TERRA GWG 2 Gymnasium Baden-Württemberg | ISBN: 978-3-623-27821-6

128

3. Methodenkompetenz

a) Ich kann Diagramme zur Entwicklung des Personen- und LKW-Verkehrs im Eurotunnel auswerten. (S. 136/137)

8▶ Ermittle aus den Diagrammen für das Jahr 2001 den Anteil des Eurotunnels am gesamten Kanalverkehr für Reisende und Lkws bzw. Waggons.　　(__/4 P.)

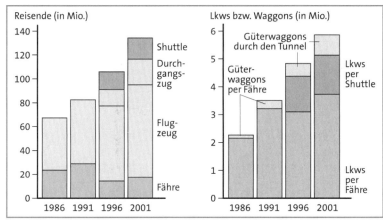

Im Jahr 2001 nutzen etwa

40 Mio. Reisende (1) von

insgesamt etwa 135 Mio.

Reisenden (1) den Euro-

tunnel mit einem Shuttle

bzw. Durchgangszug.

Im Jahr 2001 nutzten

über 2 Mio. Lkws bzw. Waggons (1) von knapp 6 Mio. (1) den Eurotunnel.

stimmt	4 Punkte	stimmt überwiegend	3 Punkte	stimmt teilweise	2 Punkte	stimmt nicht	1 – 0 Punkte

b) Ich kann Angaben zum Passagier- und Frachtaufkommen für die größten Flughäfen Europas in einem geeigneten Diagramm darstellen. (S. 138)

9▶ Stelle die Angaben in der Tabelle in einem Diagramm dar.　　(__/8 P.)

Die größten Flughäfen in Europa 2008		
	Passagiere (in Mio.)	**Fracht** (in Mio. t)
London (H.)	67,05	1,49
Paris (CDG)	60,05	2,20
Frankfurt	53,46	2,11
Madrid	50,82	0,33
Amsterdam	47,42	1,60
Barcelona	38,60	0,10
Rom	35,13	0,15
München	34,53	0,26

Preliminary World Airport Traffic 2008. Airport Council International (ACI), 17. März 2009, abgerufen am 12. Mai 2009
http://de.wikipedia.org/wiki/Liste_der_größten_Verkehrsflughäfen; abgerufen am 12.06.2010

stimmt	8 Punkte	stimmt überwiegend	7 – 6 Punkte	stimmt teilweise	5 – 4 Punkt	stimmt nicht	3 – 0 Punkte

Punkteverteilung: Überschrift, Achse mit richtiger Einteilung für Passagiere, Achse mit richtiger Einteilung für Fracht, fünf Säulenpaare für London H, Frankfurt, Paris CdG, Amsterdam, Madrid B = 8 P

Name:　　　　　　　　　　**Klasse:**　　　　　　　　**Datum:**

 Klett

© Ernst Klett Verlag GmbH, Stuttgart 2010. | www.klett.de |
TERRA Kompetenzen entwickeln 2 GWG | ISBN: 978-3-12-104058-2 |
für: TERRA GWG 2 Gymnasium Baden-Württemberg | ISBN: 978-3-623-27821-6

129

Alle Rechte vorbehalten. Von dieser Druckvorlage ist die Vervielfältigung für den eigenen Unterrichtsgebrauch gestattet. Die Kopiergebühren sind abgegolten.
Für Veränderungen durch Dritte übernimmt der Verlag keine Verantwortung.

1 Beschreibe die Verkehrsgunst des Rhein-Neckar-Raumes. (__ / 4 P.)

_____

_____

_____

_____

_____

2 Welcher Begriff passt nicht in die Reihe? Begründe deine Wahl. (__ / 3 P.)
a) Container – Bahnhof – Flughafen – Seehafen
b) Straßenverkehr – Schienenverkehr – Transitverkehr – Luftverkehr
c) PKW – Zug – Bus – LKW

_____

_____

_____

3 Beschreibe die Bedeutung der Öresundbrücke für den Güter- und Personenverkehr in Europa. (__ / 4 P.)

_____

_____

_____

_____

4 Die Firma „Express-Transport" will ihre Transporte schnell, billig und umweltschonend durch- (__ / 12 P.)
führen. Folgende Aufträge müssen bearbeitet werden:
a) Eine Ladung Kohle von Hamburg nach Heilbronn.
b) 60 neue PKW von München nach Rom.
c) 1000 Kisten Erdbeeren von Athen nach Stockholm.

Lege jeweils Verkehrsmittel und Verkehrswege fest und begründe deine Entscheidung.

_____

_____

_____

_____

_____

_____

_____

Name: _____ **Klasse:** _____ **Datum:** _____

© Ernst Klett Verlag GmbH, Stuttgart 2010. | www.klett.de |
TERRA Kompetenzen entwickeln 2 GWG | ISBN: 978-3-12-104058-2 |
für: TERRA GWG 2 Gymnasium Baden-Württemberg | ISBN: 978-3-623-27821-6

Klett

5 Ordne folgende Begriffe in eine Rangordnung und stelle Verbindungen zwischen ihnen mit   (___ / 10 P.)
Pfeilen dar: Verkehr, Verkehrsnetz, Verkehrsknotenpunkt, Verkehrsmittel, Verkehrswege, Straßen,
Kanäle, LKW, Schiff, Flugzeug, Flughafen.

6 Stelle die Entwicklung des Güterverkehrs in Deutschland in einem Diagramm dar.   (___ / 7 P.)

Güterverkehr in Deutschland (in Mrd. Tonnenkilometer)	1994	2007
LKW	229	466
Eisenbahn	60	114
Binnenschiff	56	65
Rohrleitung	14	16
Gesamt	359	661

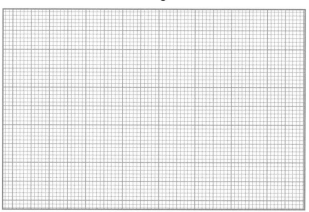

Gesamtpunktzahl: (___ / 40 P.)

Note:

Name: _____   Klasse: _____   Datum: _____

© Ernst Klett Verlag GmbH, Stuttgart 2010. | www.klett.de |
TERRA Kompetenzen entwickeln 2 GWG | ISBN: 978-3-12-104058-2 |
für: TERRA GWG 2 Gymnasium Baden-Württemberg | ISBN: 978-3-623-27821-6

1 Beschreibe die Verkehrsgunst des Rhein-Neckar-Raumes. (_/4 P.)

Die Verkehrsgunst des Rhein-Neckar-Raumes lässt sich durch folgende Merkmale

beschreiben:

– Lage im Südwesten Deutschlands an der Rheinschiene

– über den Rhein und Neckar Anschluss zu wichtigen Binnenwasserstraßen

– Nähe zu den Flughäfen Stuttgart und Frankfurt

– Anschluss an wichtige Eisenbahnlinien und Autobahnen

2 Welcher Begriff passt nicht in die Reihe? Begründe deine Wahl. (_/3 P.)
a) Container – Bahnhof – Flughafen – Seehafen
b) Straßenverkehr – Schienenverkehr – Transitverkehr – Luftverkehr
c) PKW – Zug – Bus – LKW

a) Container: alle anderen sind Verkehrsanlagen

b) Transitverkehr: alle anderen sind Verkehrswege bzw. Verkehrsträger

c) LKW: befördert in erster Linie Güter und keine Personen oder

Zug: alle anderen benutzen Straßen

3 Beschreibe die Bedeutung der Öresundbrücke für den Güter- und Personenverkehr in Europa. (_/4 P.)

Die Öresundbrücke verbindet Mitteleuropa mit Skandinavien. Mit dem Auto, LKW und der

Bahn kann damit das natürliche Hindernis Ostsee überwunden werden. Damit verbessern

sich nicht nur die Verkehrsverbindungen zwischen Dänemark und Schweden, sondern im

europäischen Verkehrsnetz bildet die Brücke eine wichtige Achse für den Nord-Süd-

Verkehr.

4 Die Firma „Express-Transport" will ihre Transporte schnell, billig und umweltschonend durch- (_/12 P.)
führen. Folgende Aufträge müssen bearbeitet werden:
a) Eine Ladung Kohle von Hamburg nach Heilbronn.
b) 60 neue PKW von München nach Rom.
c) 1000 Kisten Erdbeeren von Athen nach Stockholm.

Lege jeweils Verkehrsmittel und Verkehrswege fest und begründe deine Entscheidung.

a) Die Kohle könnte von Hamburg über den Wasserweg kostengünstig und umweltfreund-

lich nach Heilbronn transportiert werden. Das Schiff müsste über den Elbe-Seitenkanal und

Mittellandkanal zum Rhein fahren und dann stromaufwärts bis zur Mündung des Neckar

in den Rhein, weiter auf dem Neckar bis Heilbronn fahren. Nachteil bei diesem Transport

wären die lange Transportdauer und eventuell witterungsbedingte Stillstandzeiten.

Der Transport mit der Eisenbahn wäre ebenso umweltfreundlich und sogar schneller, aber

wahrscheinlich teurer.

b) Der günstigste Transport der 60 PKW von München nach Rom wäre mit der Eisenbahn

im Huckepack-Verfahren. Der Transport wäre umweltfreundlich und ziemlich schnell.

Name: Klasse: Datum:

Klett

© Ernst Klett Verlag GmbH, Stuttgart 2010. | www.klett.de |
TERRA Kompetenzen entwickeln 2 GWG | ISBN: 978-3-12-104058-2 |
für: TERRA GWG 2 Gymnasium Baden-Württemberg | ISBN: 978-3-623-27821-6

Ein Transport mit LKW wäre eventuell kostengünstiger und noch schneller, aber dafür

weniger umweltfreundlich und eventuell von Fahrverboten beeinträchtigt.

c) Für den Transport von Erdbeeren von Athen nach Stockholm wäre das Flugzeug trotz

der damit verbundenen Umweltbelastung die einzige Alternative. Um die Erdbeeren

frisch auf den schwedischen Markt zu bringen sind kurze Transportzeiten besonders

wichtig. Die hohen Transportkosten werden durch das geringe Gewicht der Erdbeeren

eventuell etwas minimiert.

5 Ordne folgende Begriffe in eine Rangordnung und stelle Verbindungen zwischen ihnen mit   (__ / 10 P.)
Pfeilen dar: Verkehr, Verkehrsnetz, Verkehrsknotenpunkt, Verkehrsmittel, Verkehrswege, Straßen,
Kanäle, LKW, Schiff, Flugzeug, Flughafen.

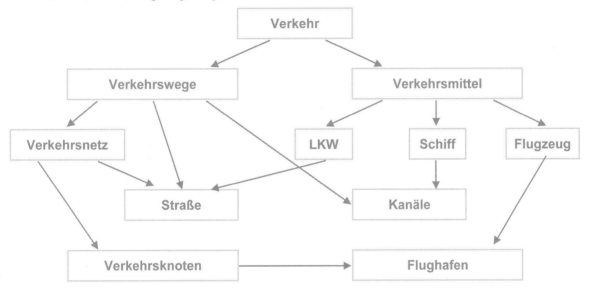

6 Stelle die Entwicklung des Güterverkehrs in Deutschland in einem Diagramm dar.   (__ /7 P.)

Güterverkehr in Deutschland (in Mrd. Tonnenkilometer)		
	1994	2007
LKW	229	466
Eisenbahn	60	114
Binnenschiff	56	65
Rohrleitung	14	16
Gesamt	359	661

Güterverkehr in Deutschland
tkm in Mrd

□ 1994
■ 2007

Gesamtpunktzahl: (__ / 40 P.)

Note:

Name: Klasse: Datum:

 Klett
© Ernst Klett Verlag GmbH, Stuttgart 2010. | www.klett.de |
TERRA Kompetenzen entwickeln 2 GWG | ISBN: 978-3-12-104058-2 |
für: TERRA GWG 2 Gymnasium Baden-Württemberg | ISBN: 978-3-623-27821-6

1 Zeichne nach den Angaben der Tabelle ein Kartogramm der Anteile der Verkehrsträger.
Wähle für die Darstellung einen geeigneten Diagrammtyp.

Anteil der Verkehrsträger am Güterverkehr in Prozent im Jahr 2007						
	UK	**FRA**	**BG**	**NED**	**D**	**DK**
Schiene	13	15	24	5	22	9
Straße	87	81	71	61	66	91
Wasser	0	4	5	34	12	0

Quelle: Eurostat: European Commission: Panorama of Transport.
Luxembourg: Office for Official Publications of the European Communities, 2009. S. 68, 78 und 86

Überschrift:

Legende:

Name: Klasse: Datum:

© Ernst Klett Verlag GmbH, Stuttgart 2010. | www.klett.de |
TERRA Kompetenzen entwickeln 2 GWG | ISBN: 978-3-12-104058-2 |
für: TERRA GWG 2 Gymnasium Baden-Württemberg | ISBN: 978-3-623-27821-6

1▶ Zeichne nach den Angaben der Tabelle ein Kartogramm der Anteile der Verkehrsträger.
Wähle für die Darstellung einen geeigneten Diagrammtyp.

Anteil der Verkehrsträger am Güterverkehr in Prozent im Jahr 2007

	UK	FRA	BG	NED	D	DK
Schiene	13	15	24	5	22	9
Straße	87	81	71	61	66	91
Wasser	0	4	5	34	12	0

Quelle: Eurostat: European Commission: Panorama of Transport.
Luxembourg: Office for Official Publications of the European Communities, 2009. S. 68, 78 und 86

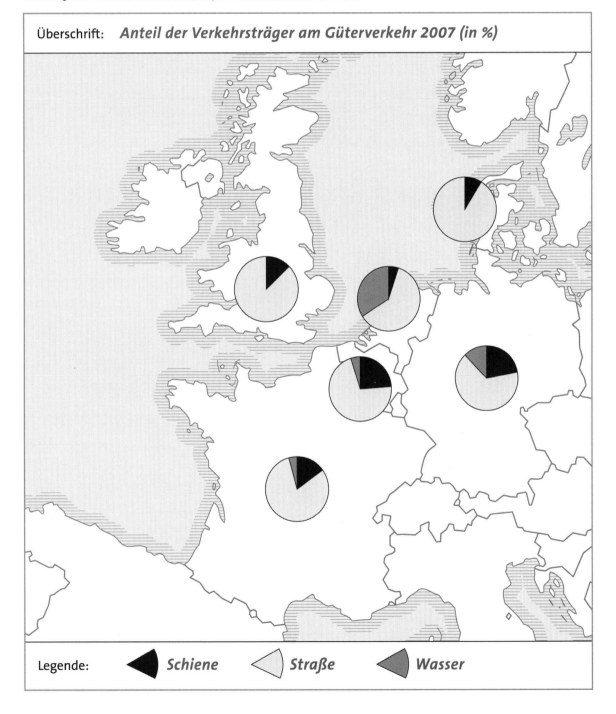

Überschrift: *Anteil der Verkehrsträger am Güterverkehr 2007 (in %)*

Legende: ◀ *Schiene* ◁ *Straße* ◀ *Wasser*

Name: Klasse: Datum:

 © Ernst Klett Verlag GmbH, Stuttgart 2010. | www.klett.de |
TERRA Kompetenzen entwickeln 2 GWG | ISBN: 978-3-12-104058-2 |
für: TERRA GWG 2 Gymnasium Baden-Württemberg | ISBN: 978-3-623-27821-6

1 Benenne die in der Karte eingetragenen Verkehrsknotenpunkte 1 bis 6.

1 _____ 2 _____ 3 _____ 4 _____ 5 _____ 6 _____

2 Markiere die Hochgeschwindigkeits-Eisenbahnstrecken farbig.

3 Trage mit einem gelben Punkt die folgenden internationalen Großflughäfen ein.
London, Paris, Frankfurt, Madrid, Amsterdam, Barcelona, Rom, München, Istanbul, Zürich, Athen

4 Beschrifte die schiffbaren Flüsse.

5 Trage mit einem blauen Punkt die zehn größten Häfen ein.

A Rotterdam	B Antwerpen	C Hamburg	D Marseille	E Le Havre
F Bergen	G Grimsby & Immingham	H Algeciras	I Amsterdam	J Bremen/ Bremerhaven

6 Trage den Eurotunnel und die Öresundbrücke in die Karte ein.

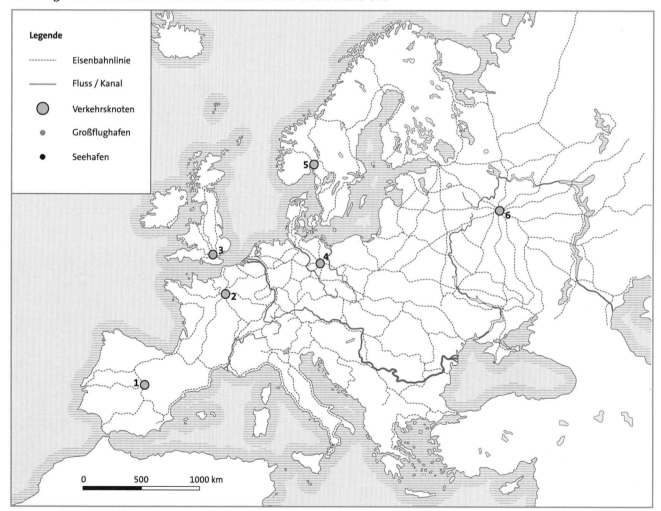

Legende

- - - - Eisenbahnlinie

——— Fluss / Kanal

⬤ Verkehrsknoten

• Großflughafen

● Seehafen

Name: _____   Klasse: _____   Datum: _____

1 Benenne die in der Karte eingetragenen Verkehrsknotenpunkte 1 bis 6.

1 Madrid   2 Paris   3 London   4 Berlin   5 Oslo   6 Moskau

2 Markiere die Hochgeschwindigkeits-Eisenbahnstrecken farbig.

3 Trage mit einem gelben Punkt die folgenden internationalen Großflughäfen ein.
London, Paris, Frankfurt, Madrid, Amsterdam, Barcelona, Rom, München, Istanbul, Zürich, Athen

4 Beschrifte die schiffbaren Flüsse.

5 Trage mit einem blauen Punkt die zehn größten Häfen ein.

A Rotterdam	B Antwerpen	C Hamburg	D Marseille	E Le Havre
F Bergen	G Grimsby & Immingham	H Algeciras	I Amsterdam	J Bremen/ Bremerhaven

6 Trage den Eurotunnel und die Öresundbrücke in die Karte ein.

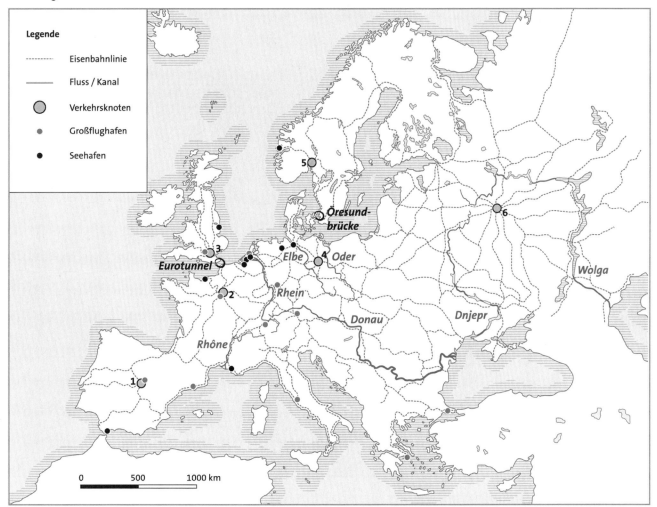

 Klett

© Ernst Klett Verlag GmbH, Stuttgart 2010. | www.klett.de |
TERRA Kompetenzen entwickeln 2 GWG | ISBN: 978-3-12-104058-2 |
für: TERRA GWG 2 Gymnasium Baden-Württemberg | ISBN: 978-3-623-27821-6

137

Bezüge zum Bildungsplan/Kompetenzübersicht
Die Schülerinnen und Schüler können …
M1 Basisinformationen **aus Karten**, Atlaskarten, Profilen, **Diagrammen**, Klimadiagrammen, Ablaufschemata, Statistiken, Modelle, Bildern, Luftbildern und Texten erfassen und **einfache geographische Darstellungsmöglichkeiten** selbst anfertigen;
S6 Ausstattung und Funktionen eines Ausgewählten Verdichtungsraumes darstellen;
S8 Europa hinsichtlich physischer Gegebenheiten gliedern;
S14 Am Beispiel eines ausgewählten Wirtschaftsraumes die Grundvoraussetzungen und den Wandel wirtschaftlicher Produktion aufzeigen.

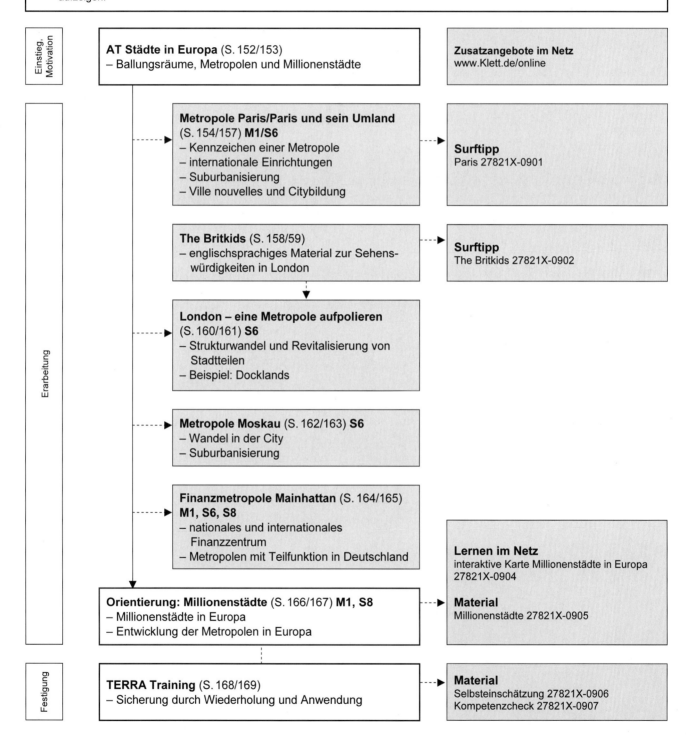

Einstieg, Motivation

AT Städte in Europa (S. 152/153)
– Ballungsräume, Metropolen und Millionenstädte

Zusatzangebote im Netz
www.Klett.de/online

Erarbeitung

Metropole Paris/Paris und sein Umland
(S. 154/157) **M1/S6**
– Kennzeichen einer Metropole
– internationale Einrichtungen
– Suburbanisierung
– Ville nouvelles und Citybildung

Surftipp
Paris 27821X-0901

The Britkids (S. 158/59)
– englischsprachiges Material zur Sehens-
würdigkeiten in London

Surftipp
The Britkids 27821X-0902

London – eine Metropole aufpolieren
(S. 160/161) **S6**
– Strukturwandel und Revitalisierung von
Stadtteilen
– Beispiel: Docklands

Metropole Moskau (S. 162/163) **S6**
– Wandel in der City
– Suburbanisierung

Finanzmetropole Mainhattan (S. 164/165)
M1, S6, S8
– nationales und internationales
Finanzzentrum
– Metropolen mit Teilfunktion in Deutschland

Lernen im Netz
interaktive Karte Millionenstädte in Europa
27821X-0904

Orientierung: Millionenstädte (S. 166/167) **M1, S8**
– Millionenstädte in Europa
– Entwicklung der Metropolen in Europa

Material
Millionenstädte 27821X-0905

Festigung

TERRA Training (S. 168/169)
– Sicherung durch Wiederholung und Anwendung

Material
Selbsteinschätzung 27821X-0906
Kompetenzcheck 27821X-0907

Inhaltsfelder mit Seitenangaben (Bezug zum Schülerbuch), fakultative Elemente sind grau hinterlegt
(M= Fachspezifische Methodenkompetenz, S = Sachkompetenz)

 Klett © Ernst Klett Verlag GmbH, Stuttgart 2010. | www.klett.de |
TERRA Kompetenzen entwickeln 2 GWG | ISBN: 978-3-12-104058-2 |
für: TERRA GWG 2 Gymnasium Baden-Württemberg | ISBN: 978-3-623-27821-6

	stimmt	stimmt überwiegend	stimmt teilweise	stimmt nicht

1. Orientierungskompetenz

a) Ich kann auf einer Karte zwei Metropolen und fünf Millionenstädte in Europa benennen. (S. 166/167)				
b) Ich kann die Lage der Rhein-Main-Region beschreiben. (Atlas)				

2. Sachkompetenz

a) Ich kann drei Merkmale einer Metropole nennen. (S. 154–157)				
b) Ich kann zwei Städte in Deutschland nennen, die über einzelne Merkmale einer Metropole verfügen. (S. 155, 165)				
c) Ich kann den Wandel von Stadtteilen in Metropolen an einem Beispiel beschreiben. (S. 154–163)				
d) Ich kann erklären, was eine Ville Nouvelle ist. (S. 156/157)				
e) Ich kann zwei Gründe für die Entstehung des Finanzzentrums Frankfurt/Main nennen. (S. 164/165)				

3. Methodenkompetenz

a) Ich kann das Wachstum einer Stadt mit einem geeigneten Diagramm darstellen. (S. 108/109).				

Name: _____ Klasse: _____ Datum: _____

© Ernst Klett Verlag GmbH, Stuttgart 2010. | www.klett.de |
TERRA Kompetenzen entwickeln 2 GWG | ISBN: 978-3-12-104058-2 |
für: TERRA GWG 2 Gymnasium Baden-Württemberg | ISBN: 978-3-623-27821-6

1. Orientierungskompetenz

a) Ich kann auf einer Karte zwei Metropolen und fünf Millionenstädte in Europa benennen.
(S. 166/167)

1 Trage in die Tabelle die Zahl und den dazugehörenden Namen von zwei Metropolen und fünf Millionenstädten in Europa ein. (___/7 P.)

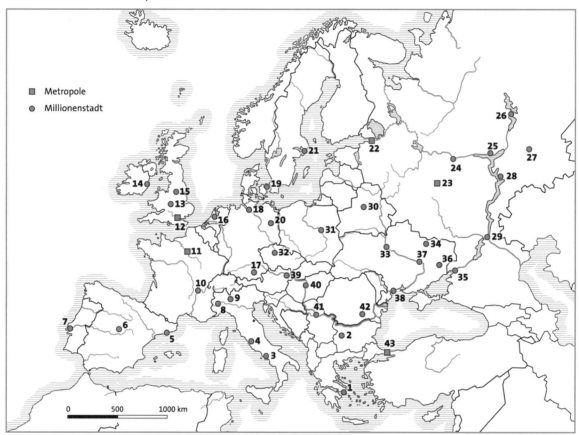

Metropole	
Nr.	**Name**

Millionenstadt	
Nr.	**Name**

Name: **Klasse:**   **Datum:**

© Ernst Klett Verlag GmbH, Stuttgart 2010. | www.klett.de |
TERRA Kompetenzen entwickeln 2 GWG | ISBN: 978-3-12-104058-2 |
für: TERRA GWG 2 Gymnasium Baden-Württemberg | ISBN: 978-3-623-27821-6

b) Ich kann die Lage der Rhein-Main-Region beschreiben. (Atlas)

2 Beschreibe die Lage der Rhein-Main-Region mit drei Lagemerkmalen.　　(___/3 P.)

---

2. Sachkompetenz

a) Ich kann drei Merkmale einer Metropole nennen. (S. 154–157)

3 Bestimme, welche der folgenden Aussagen zur Metropole richtig und welche falsch sind.　　(___/3 P.)

	richtig	falsch
Jede Hauptstadt eines Landes ist eine Metropole.		
Eine Metropole hat die wirtschaftliche, politische und kulturelle Spitzen-stellung in einem Land.		
Eine Metropole ist die mit Abstand größte Stadt eines Landes.		
In einer Metropole leben die Menschen vor allem in der Innenstadt.		
Eine Metropole ist der Sitz internationaler Organisationen.		
Eine Metropole hat immer mehr als 5 Millionen Einwohner.		

b) Ich kann zwei Städte in Deutschland nennen, die über einzelne Merkmale einer Metro-pole verfügen. (S. 155/165)

4 Nenne zwei Großstädte in Deutschland mit der dazugehörigen Teilfunktion einer Metropole.　　(___/4 P.)

**c) Ich kann den Wandel von Stadtteilen in Metropolen an einem Beispiel beschreiben.
(S. 154–167)**

5 Beschreibe den Wandel von Stadtteilen in Metropolen an einem der folgenden Beispiele:　　(___/4 P.)
(Paris: La Defense; London: Docklands; Moskau: Stadtzentrum)

Name:　　　　　　　　　　Klasse:　　　　　　　　　　Datum:

 Klett
© Ernst Klett Verlag GmbH, Stuttgart 2010. | www.klett.de |
TERRA Kompetenzen entwickeln 2 GWG | ISBN: 978-3-12-104058-2 |
für: TERRA GWG 2 Gymnasium Baden-Württemberg | ISBN: 978-3-623-27821-6

d) Ich kann erklären, was eine Ville Nouvelle ist. (S. 156/157)

6 Erkläre den Begriff Ville Nouvelle und nutze dazu folgende Begriffe: (__/4 P.)
Arbeitsplätze, Einkaufsmöglichkeiten, Entlastung, Metropole Paris, Stadtgründungen, städtische
Funktionen, Wohnungen.

_____

_____

_____

e) Ich kann zwei Gründe für die Entstehung des Finanzzentrums Frankfurt/Main nennen.
(S. 164/165)

7 Nenne zwei Gründe für die Entstehung des Finanzzentrums Frankfurt/Main. (__/2 P.)

_____

_____

3. Methodenkompetenz

a) Ich kann das Wachstum einer Stadt mit einem geeigneten Diagramm darstellen.
(S. 108/109)

8 Stelle die Bevölkerungsentwicklung von London in einem geeigneten Diagramm dar. (__/6 P.)

Jahr	1 800	1 900	2 000
Einwohnerzahl	1 100 000	6 500 000	7 500 000

Name: Klasse: Datum:

© Ernst Klett Verlag GmbH, Stuttgart 2010. | www.klett.de |
TERRA Kompetenzen entwickeln 2 GWG | ISBN: 978-3-12-104058-2 |
für: TERRA GWG 2 Gymnasium Baden-Württemberg | ISBN: 978-3-623-27821-6

142

Alle Rechte vorbehalten. Von dieser Druckvorlage ist die Vervielfältigung für den
eigenen Unterrichtsgebrauch gestattet. Die Kopiergebühren sind abgegolten.
Für Veränderungen durch Dritte übernimmt der Verlag keine Verantwortung.

1. Orientierungskompetenz

a) Ich kann auf einer Karte zwei Metropolen und fünf Millionenstädte in Europa benennen.
(S. 166/167)

1 Trage in die Tabelle die Zahl und den dazugehörenden Namen von zwei Metropolen und fünf   (__/7 P.)
Millionenstädten in Europa ein.

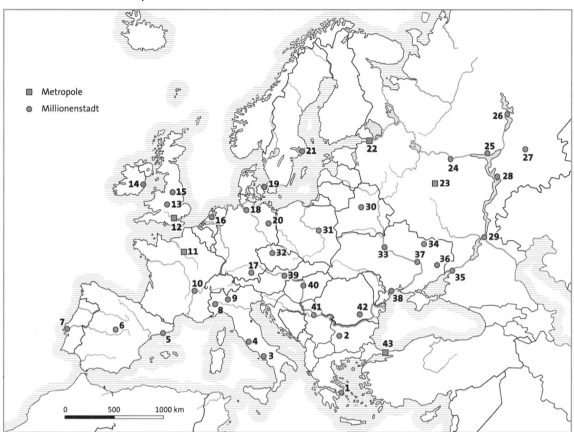

Millionenstadt		Millionenstadt		Millionenstadt		Millionenstadt	
Nr.	Name	Nr.	Name	Nr.	Name	Nr.	Name
1	Athen	12	London	23	Moskau	34	Charkiw
2	Sophia	13	Birmingham	24	Nishni Nowgorod	35	Rostow
3	Neapel	14	Dublin	25	Kasan	36	Donezk
4	Rom	15	Manchester	26	Perm	37	Dnipropetrowsk
5	Barcelona	16	Amsterdam	27	Ufa	38	Odesa
6	Madrid	17	München	28	Samara	39	Wien
7	Lissabon	18	Hamburg	29	Wolgograd	40	Budapest
8	Turin	19	Kopenhagen	30	Minsk	41	Belgrad
9	Mailand	20	Berlin	31	Warschau	42	Bukarest
10	Lyon	21	Stockholm	32	Prag	43	Istanbul
11	Paris	22	St. Petersburg	33	Kiew		

Metropolen: London, Moskau, Paris

stimmt	7 – 6 Punkte	stimmt überwiegend	5 Punkte	stimmt teilweise	4 – 2 Punkte	stimmt nicht	1 – 0 Punkte

Name: Klasse: Datum:

 Klett
© Ernst Klett Verlag GmbH, Stuttgart 2010. | www.klett.de |
TERRA Kompetenzen entwickeln 2 GWG | ISBN: 978-3-12-104058-2 |
für: TERRA GWG 2 Gymnasium Baden-Württemberg | ISBN: 978-3-623-27821-6

143

b) Ich kann die Lage der Rhein-Main-Region beschreiben. (Atlas)

2 Beschreibe die Lage der Rhein-Main-Region mit drei Lagemerkmalen. (___/3 P.)

Die Rhein-Main Region liegt: z.B. nördlich vom Odenwald; südlich vom Taunus;

zwischen Aschaffenburg und Mainz; am Unterlauf des Mains; westlich des Spessarts usw.

stimmt	3 Punkte	stimmt überwiegend	2 Punkte	stimmt teilweise	1 Punkt	stimmt nicht	0 Punkte

2. Sachkompetenz

a) Ich kann drei Merkmale einer Metropole nennen. (S. 154–157)

3 Bestimme, welche der folgenden Aussagen zur Metropole richtig und welche falsch sind. (___/3 P.)

	richtig	falsch
Jede Hauptstadt eines Landes ist eine Metropole.		x
Eine Metropole hat die wirtschaftliche, politische und kulturelle Spitzenstellung in einem Land.	x	
Eine Metropole ist die mit Abstand größte Stadt eines Landes.	x	
In einer Metropole leben die Menschen vor allem in der Innenstadt.		x
Eine Metropole ist der Sitz internationaler Organisationen.	x	
Eine Metropole hat immer mehr als 5 Millionen Einwohner.		x

stimmt	3 Punkte	stimmt überwiegend	2 Punkte	stimmt teilweise	1 Punkt	stimmt nicht	0 Punkte

Punkteverteilung: 1 Punkt Abzug je falscher Zuordnung

b) Ich kann zwei Städte in Deutschland nennen, die über einzelne Merkmale einer Metropole verfügen. (S. 155/165)

4 Nenne zwei Großstädte in Deutschland mit der dazugehörigen Teilfunktion einer Metropole. (___/4 P.)

z.B. Berlin (1): Regierungssitz (1); Frankfurt/Main (1): Sitz internationaler Banken (1);

München (1): bedeutende Kulturangebote (1) usw.

stimmt	4 Punkte	stimmt überwiegend	3 Punkte	stimmt teilweise	2 Punkte	stimmt nicht	1 – 0 Punkte

c) Ich kann den Wandel von Stadtteilen in Metropolen an einem Beispiel beschreiben. (S. 154–167)

5 Beschreibe den Wandel von Stadtteilen in Metropolen an einem der folgenden Beispiele: (___/4 P.)
(Paris: La Defense; London: Docklands; Moskau: Stadtzentrum)

La Defense: Am Rand der Kernstadt (1) entstand ein modernes Büro- und Dienstleistungs-

zentrum (1), in dem nur wenig Menschen wohnen (1).

Docklands: Das alte, nicht mehr genutzte Hafengelände (1) wurde zur Entlastung der City (1)

in ein Wohngebiet und ein Dienstleistungszentrum umgewandelt (1).

Stadtzentrum Moskau: Nach dem teilweisen Abriss der Altbauten (1) erfolgte der Neubau

von Einkaufszentren und Bürohäusern (1) und das Verdrängen der ehemaligen Bewohner (1).

stimmt	4 Punkte	stimmt überwiegend	3 Punkte	stimmt teilweise	2 Punkte	stimmt nicht	1 – 0 Punkte

Punkteverteilung: 1 Punkt für einen vollständigen Antwortsatz.

Name: _____ Klasse: _____ Datum: _____

© Ernst Klett Verlag GmbH, Stuttgart 2010. | www.klett.de |
TERRA Kompetenzen entwickeln 2 GWG | ISBN: 978-3-12-104058-2 |
für: TERRA GWG 2 Gymnasium Baden-Württemberg | ISBN: 978-3-623-27821-6

d) Ich kann erklären, was eine Ville Nouvelle ist. (S. 156/157)

6▶ Erkläre den Begriff Ville Nouvelle und nutze dazu folgende Begriffe:
Arbeitsplätze, Einkaufsmöglichkeiten, Entlastung, Metropole Paris, Stadtgründungen, städtische
Funktionen, Wohnungen.

(__/4 P.)

Zur Entlastung der Metropole Paris (1) entstanden neue Stadtgründungen die Ville

Nouvelle (1), in denen mit Arbeitsplätzen, Einkaufsmöglichkeiten und Wohnungen (1)

wichtige städtische Funktionen (1) vorhanden sind.

stimmt	4 Punkte	stimmt überwiegend	3 Punkte	stimmt teilweise	2 Punkte	stimmt nicht	1 – 0 Punkte

e) Ich kann zwei Gründe für die Entstehung des Finanzzentrums Frankfurt/Main nennen.
   (S. 164/165)

7▶ Nenne zwei Gründe für die Entstehung des Finanzzentrums Frankfurt/Main.

(__/2 P.)

Wichtige Finanzeinrichtungen, Verkehrsknoten, Deutsche Bundesbank

stimmt	2 Punkte	stimmt überwiegend	–	stimmt teilweise	1 Punkt	stimmt nicht	0 Punkte

3. Methodenkompetenz

a) Ich kann das Wachstum einer Stadt mit einem geeigneten Diagramm darstellen.
   (S. 108/109)

8▶ Stelle die Bevölkerungsentwicklung von London in einem geeigneten Diagramm dar.

(__/6 P.)

Jahr	1 800	1 900	2 000
Einwohnerzahl	1 100 000	6 500 000	7 500 000

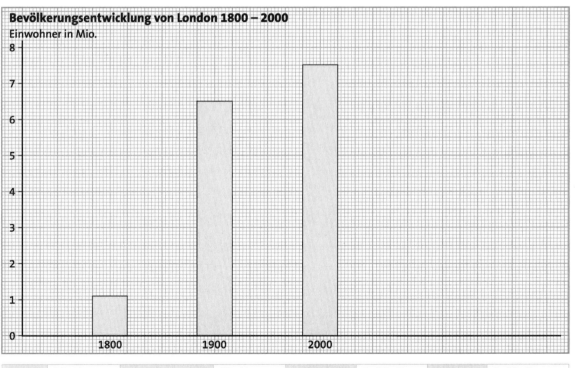

Bevölkerungsentwicklung von London 1800 – 2000
Einwohner in Mio.

stimmt	6 Punkte	stimmt überwiegend	5 Punkte	stimmt teilweise	4 – 3 Punkte	stimmt nicht	2 – 0 Punkte

Punkteverteilung: Überschrift, Beschriftung der Achsen mit Einwohner und Zeit je 1 Punkt = 3 P, drei Werte richtig gezeichnet je 1Punkt = 3P.

Name: **Klasse:**   **Datum:**

 © Ernst Klett Verlag GmbH, Stuttgart 2010. | www.klett.de |
TERRA Kompetenzen entwickeln 2 GWG | ISBN: 978-3-12-104058-2 |
für: TERRA GWG 2 Gymnasium Baden-Württemberg | ISBN: 978-3-623-27821-6

145

1 Trage in die Tabelle die Zahl und den dazugehörenden Namen von zwei Metropolen und fünf Millionenstädten in Europa ein. (___/7 P.)

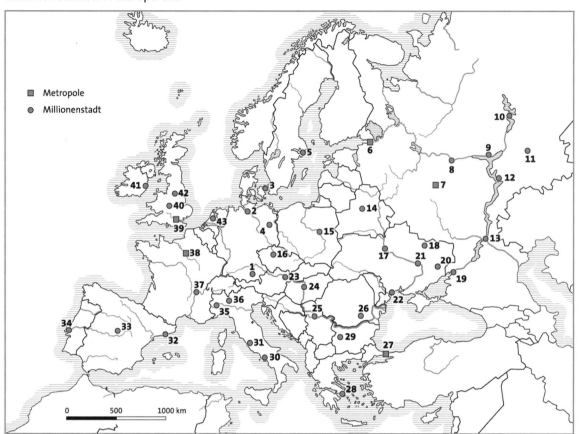

Metropole			Millionenstadt		
Nr.	**Name**		**Nr.**	**Name**	

2 Nenne drei Merkmale einer Metropole. (___/3 P.)

_____

_____

Name: **Klasse:** **Datum:**

© Ernst Klett Verlag GmbH, Stuttgart 2010. | www.klett.de |
TERRA Kompetenzen entwickeln 2 GWG | ISBN: 978-3-12-104058-2 |
für: TERRA GWG 2 Gymnasium Baden-Württemberg | ISBN: 978-3-623-27821-6

3 Ordne den Städten ein einzelnes Merkmal einer Metropole zu. Verbinde dazu Stadt und Merk-   (___/4 P.)
mal mit einem Strich verbindest.

Stadt
Berlin
Karlsruhe
Köln
Frankfurt/Main

einzelnes Merkmal
Banken /Finanzdienstleistern
Medienzentrum
Regierungssitz
höchstes Gericht

4 Beschreibe den Wandel von Stadtteilen in Metropolen an einem der folgenden Beispiele: (___/4 P.)
Paris: La Defense; London: Docklands; Moskau: Stadtzentrum.

_____

_____

_____

_____

_____

5 Nenne zwei Gründe für die Entstehung des Finanzzentrums Frankfurt/Main, indem du die   (___/2 P.)
zutreffenden Begriffe unterstreichst:
viele Museen, Deutsche Bundesbank, Lage an einer Schifffahrtsstraße, preiswerte Wohnungen,
reizvolle Umgebung, gute Verkehrsanbindung, internationale Banken.

6 Stelle die Bevölkerungsentwicklung von Berlin in einem geeigneten Diagramm dar.   (___/9 P.)

Jahr	1900	1910	1920	1930	1940	1950	1960	1970	1980	1990	2000	2010*
Einwohner in Mio.	2,7	3,7	3,9	4,3	4,3	3,3	3,3	3,2	3,0	3,4	3,4	3,4

* = Prognose nach eigenen Angaben

Daten für die Jahre 1900–2000 nach: Statistisches Jahrbuch 2009 Berlin, Amt für Statistik Berlin–Brandenburg Potsdam, S. 32/33

Gesamtpunktzahl: (___ / 29 P.)

Note:

Name: _____   Klasse: _____   Datum: _____

© Ernst Klett Verlag GmbH, Stuttgart 2010. | www.klett.de |
TERRA Kompetenzen entwickeln 2 GWG | ISBN: 978-3-12-104058-2 |
für: TERRA GWG 2 Gymnasium Baden-Württemberg | ISBN: 978-3-623-27821-6

1 Trage in die Tabelle die Zahl und den dazugehörenden Namen von zwei Metropolen und fünf   (__/7 P.)
Millionenstädten in Europa ein.

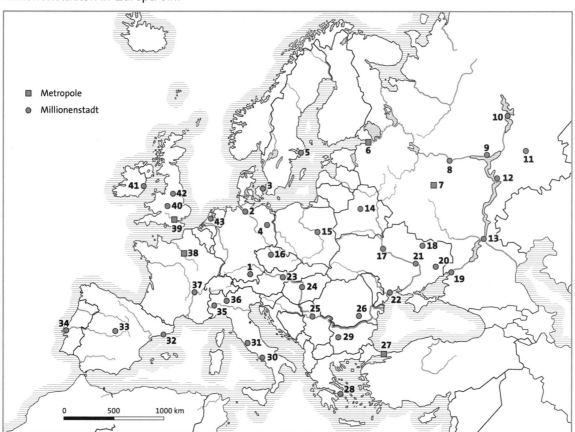

Millionenstadt		Millionenstadt		Millionenstadt		Millionenstadt	
Nr.	**Name**	**Nr.**	**Name**	**Nr.**	**Name**	**Nr.**	**Name**
1	München	12	Samara	23	Wien	34	Lissabon
2	Hamburg	13	Wolgograd	24	Budapest	35	Turin
3	Kopenhagen	14	Minsk	25	Belgrad	36	Mailand
4	Berlin	15	Warschau	26	Bukarest	37	Lyon
5	Stockholm	16	Prag	27	Istanbul	38	Paris
6	St. Petersburg	17	Kiew	28	Athen	39	London
7	Moskau	18	Charkow	29	Sophia	40	Birmingham
8	Nishni Nowgorod	19	Rostow	30	Neapel	41	Dublin
9	Kasan	20	Donezk	31	Rom	42	Manchester
10	Perm	21	Dnipropetrowsk	32	Barcelona	43	Amsterdam
11	Ufa	22	Odesa	33	Madrid		

Metropolen: **London, Moskau, Paris**

2 Nenne drei Merkmale einer Metropole.   (__/3 P.)

internationale Einrichtungen, mit Abstand größte Stadt eines Landes, wirtschaftliche

politische und kulturelle Vorrangstellung, Ziel für Touristen

Name: Klasse: Datum:

© Ernst Klett Verlag GmbH, Stuttgart 2010. | www.klett.de |
TERRA Kompetenzen entwickeln 2 GWG | ISBN: 978-3-12-104058-2 |
für: TERRA GWG 2 Gymnasium Baden-Württemberg | ISBN: 978-3-623-27821-6

3 Ordne den Städten ein einzelnes Merkmal einer Metropole zu. Verbinde dazu Stadt und Merk- (__/4 P.)
mal mit einem Strich verbindest.

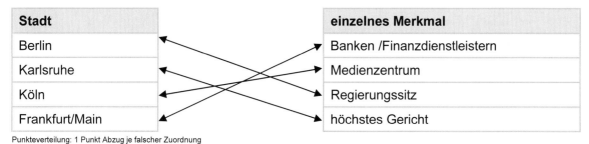

Stadt		einzelnes Merkmal
Berlin		Banken /Finanzdienstleistern
Karlsruhe		Medienzentrum
Köln		Regierungssitz
Frankfurt/Main		höchstes Gericht

Punkteverteilung: 1 Punkt Abzug je falscher Zuordnung

4 Beschreibe den Wandel von Stadtteilen in Metropolen an einem der folgenden Beispiele: (__/4 P.)
Paris: La Defense; London: Docklands; Moskau: Stadtzentrum.

La Defense: Am Rand der Kernstadt (1) entstand ein modernes Büro- und Dienstleistungs-

zentrum (1), in dem nur wenig Menschen wohnen (1).

Docklands: Das alte nicht mehr genutzte Hafengelände (1) wurde zur Entlastung der City (1)

in ein Wohngebiet und ein Dienstleistungszentrum umgewandelt (1).

Stadtzentrum Moskau: Nach dem teilweisen Abriss der Altbauten (1) erfolgte der Neubau

von Einkaufszentren und Bürohäusern (1) und das Verdrängen der ehemaligen Bewohner (1).

5 Nenne zwei Gründe für die Entstehung des Finanzzentrums Frankfurt/Main, indem du die (__/2 P.)
zutreffenden Begriffe unterstreichst:
viele Museen, <u>Deutsche Bundesbank</u>, Lage an einer Schifffahrtsstraße, preiswerte Wohnungen,
reizvolle Umgebung, <u>gute Verkehrsanbindung</u>, <u>internationale Banken</u>.

6 Stelle die Bevölkerungsentwicklung von Berlin in einem geeigneten Diagramm dar. (__/9 P.)

Jahr	1900	1910	1920	1930	1940	1950	1960	1970	1980	1990	2000	2010*
Einwohner in Mio.	2,7	3,7	3,9	4,3	4,3	3,3	3,3	3,2	3,0	3,4	3,4	3,4

Punkteverteilung:
Überschrift,
Beschriftung der
Achsen mit
Einwohner und
Zeit je 1 Punkt =
3 P, zwölf Werte
richtig gezeichnet
je 1Punkt = 6 P.

* = Prognose nach eigenen Angaben

Daten für die Jahre 1900–2000 nach: Statistisches Jahrbuch 2009 Berlin, Amt für Statistik Berlin–Brandenburg Potsdam, S. 32/33

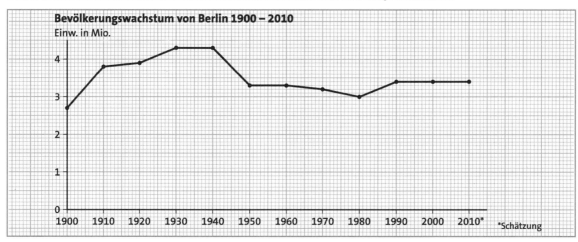

29–25 Punkte = 1
24–21 Punkte = 2
20–17 Punkte = 3
16–12 Punkte = 4
11–6 Punkte = 5
5–0 Punkte = 6

Gesamtpunktzahl: (__ / 29 P.)

Note:

Name: Klasse: Datum:

1 Metropolen sind Städte, die in ihren Ländern eine Vorrangstellung in Politik, Wirtschaft und Kultur einnehmen. London, Paris oder Moskau sind Beispiele für Metropolen in Europa.
Wähle dir eine der drei Städte aus und suche mithilfe des Atlasses nach wichtigen politischen, kulturellen oder wirtschaftlichen Einrichtungen in dieser Stadt.

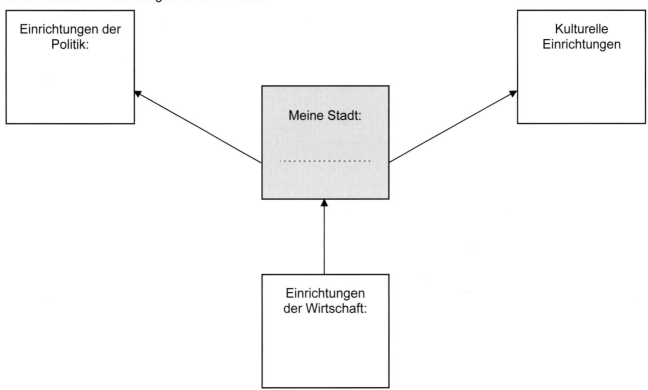

2 Im Buchstabensalat sind zehn europäische Städte mit mehr als einer Million Einwohnern versteckt. Suche waagrecht, senkrecht und diagonal.

W	A	S	C	D	J	P	M	F	K	X	S	G	H	A	W	D	V	H	U
K	B	H	O	L	K	M	N	B	F	E	B	Q	S	C	M	F	T	H	N
J	U	I	A	L	M	H	T	F	C	S	P	W	D	C	A	S	A	H	D
D	D	H	D	M	G	K	C	L	R	F	A	D	B	J	D	B	E	Z	A
S	A	C	K	B	B	G	J	P	A	S	R	D	F	G	R	H	M	H	D
G	P	F	Q	W	E	U	R	T	Z	W	I	E	N	U	I	I	E	N	G
D	E	N	U	G	J	V	R	D	L	W	S	X	Y	B	D	K	U	M	J
V	S	C	G	H	U	N	D	G	J	G	K	L	V	B	N	R	N	J	L
H	T	D	U	R	H	G	K	H	Z	P	R	A	G	L	N	F	C	U	O
X	T	A	C	Z	N	A	D	G	J	L	K	H	F	S	Y	X	H	I	U
V	K	Z	R	O	M	M	H	T	E	S	A	L	B	R	I	B	E	K	T
H	G	F	D	T	C	F	H	B	O	L	I	S	S	A	B	O	N	L	E
J	D	N	K	G	F	L	N	I	G	K	L	V	R	K	L	G	E	O	S
L	O	B	N	A	Y	S	E	W	D	V	C	F	T	H	Z	G	W	P	D
L	G	I	E	Y	S	E	R	G	N	K	O	I	J	N	B	F	E	Y	G

Name: **Klasse:**   **Datum:**

 Klett

© Ernst Klett Verlag GmbH, Stuttgart 2010. | www.klett.de |
TERRA Kompetenzen entwickeln 2 GWG | ISBN: 978-3-12-104058-2 |
für: TERRA GWG 2 Gymnasium Baden-Württemberg | ISBN: 978-3-623-27821-6

150

1 Metropolen sind Städte, die in ihren Ländern eine Vorrangstellung in Politik, Wirtschaft und Kultur einnehmen. London, Paris oder Moskau sind Beispiele für Metropolen in Europa.
Wähle dir eine der drei Städte aus und suche mithilfe des Atlasses nach wichtigen politischen, kulturellen oder wirtschaftlichen Einrichtungen in dieser Stadt.

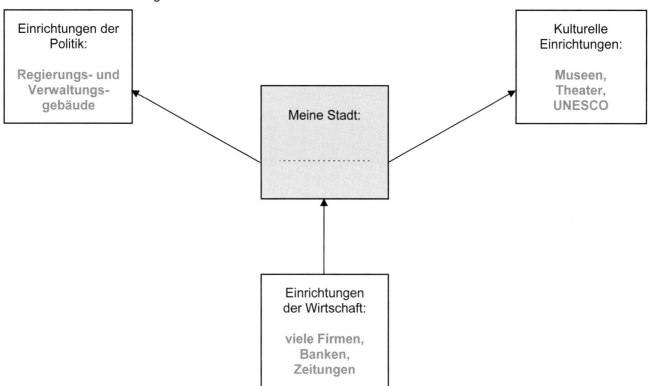

Einrichtungen der Politik:
Regierungs- und Verwaltungsgebäude

Meine Stadt:

Kulturelle Einrichtungen:
Museen, Theater, UNESCO

Einrichtungen der Wirtschaft:
viele Firmen, Banken, Zeitungen

2 Im Buchstabensalat sind zehn europäische Städte mit mehr als einer Million Einwohnern versteckt. Suche waagrecht, senkrecht und diagonal.

W	A	S	C	D	J	P	M	F	K	X	S	G	H	A	W	D	V	H	U
K	B	H	O	L	K	M	N	B	F	E	B	Q	S	C	M	F	T	H	N
J	U	I	A	L	M	H	T	F	C	S	P	W	D	C	A	S	A	H	D
D	D	H	D	M	G	K	C	L	R	F	A	D	B	J	D	B	E	Z	A
S	A	C	K	B	B	G	J	P	A	S	R	D	F	G	R	H	M	H	D
G	P	F	Q	W	E	U	R	T	Z	W	I	E	N	U	I	I	E	N	G
D	E	N	U	G	J	V	R	D	L	W	S	X	Y	B	D	K	U	M	J
V	S	C	G	H	U	N	D	G	J	G	K	L	V	B	N	R	N	J	L
H	T	D	U	R	H	G	K	H	Z	P	R	A	G	L	N	F	C	U	O
X	T	A	C	Z	N	A	D	G	J	L	K	H	F	S	Y	X	H	I	U
V	K	Z	R	O	M	M	H	T	E	S	A	L	B	R	I	B	E	K	T
H	G	F	D	T	C	F	H	B	O	L	I	S	S	A	B	O	N	L	E
J	D	N	K	G	F	L	N	I	G	K	L	V	R	K	L	G	E	O	S
L	O	B	N	A	Y	S	E	W	D	V	C	F	T	H	Z	G	W	P	D
L	G	I	E	Y	S	E	R	G	N	K	O	I	J	N	B	F	E	Y	G

Name: **Klasse:**   **Datum:**

 Klett
© Ernst Klett Verlag GmbH, Stuttgart 2010. | www.klett.de |
TERRA Kompetenzen entwickeln 2 GWG | ISBN: 978-3-12-104058-2 |
für: TERRA GWG 2 Gymnasium Baden-Württemberg | ISBN: 978-3-623-27821-6

Bezüge zum Bildungsplan/Kompetenzübersicht
Die Schülerinnen und Schüler können…
M1 Basisinformationen aus Karten, […], Profilen, Diagrammen, […], Statistiken, Modellen, Bildern, […] und Texten erfassen und einfache geographische Darstellungsmöglichkeiten selbst anfertigen;
M2 einfache (Modell-)Experimente durchführen und auswerten;
S10 exemplarisch Naturereignisse und Naturkatastrophen in ihren Auswirkungen als Bedrohung der Menschen beschreiben;
S11 ein Hochgebirge Europas (Alpen) als Natur- und Lebensraum erfassen, die Gefährdung des Naturraumes durch menschliche Nutzungen aufzeigen und Handlungsperspektiven für eine zukunftsfähige Entwicklung in Hochgebirgsräumen nachvollziehen;
S15 die Bedeutung des Tourismus als bestimmenden Wirtschaftsfaktor und die daraus resultierenden Probleme in einer ausgewählten Region Europas darlegen.

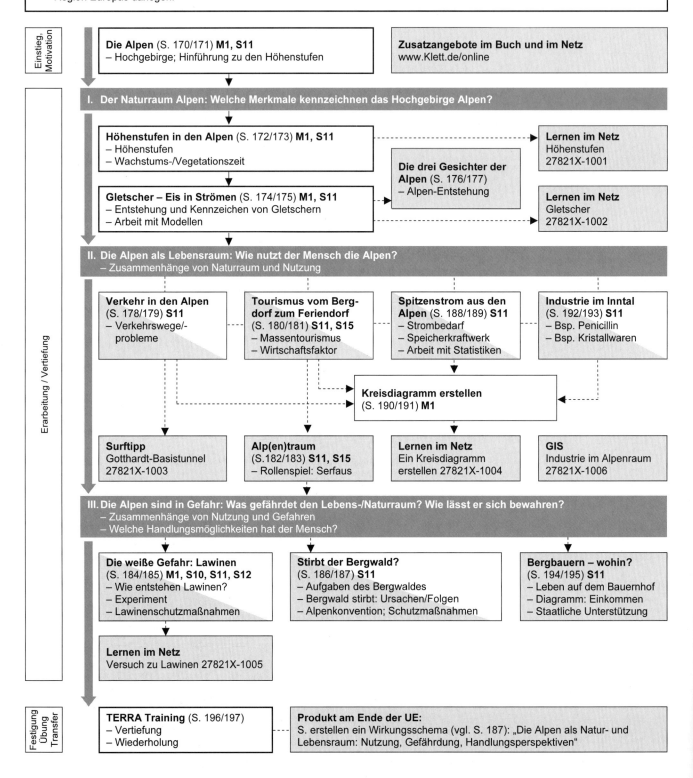

Einstieg, Motivation

Die Alpen (S. 170/171) **M1, S11**
– Hochgebirge; Hinführung zu den Höhenstufen

Zusatzangebote im Buch und im Netz
www.Klett.de/online

I. Der Naturraum Alpen: Welche Merkmale kennzeichnen das Hochgebirge Alpen?

Höhenstufen in den Alpen (S. 172/173) **M1, S11**
– Höhenstufen
– Wachstums-/Vegetationszeit

Die drei Gesichter der Alpen (S. 176/177)
– Alpen-Entstehung

Lernen im Netz
Höhenstufen
27821X-1001

Gletscher – Eis in Strömen (S. 174/175) **M1, S11**
– Entstehung und Kennzeichen von Gletschern
– Arbeit mit Modellen

Lernen im Netz
Gletscher
27821X-1002

II. Die Alpen als Lebensraum: Wie nutzt der Mensch die Alpen?
– Zusammenhänge von Naturraum und Nutzung

Erarbeitung / Vertiefung

Verkehr in den Alpen (S. 178/179) **S11**
– Verkehrswege/-probleme

Tourismus vom Bergdorf zum Feriendorf (S. 180/181) **S11, S15**
– Massentourismus
– Wirtschaftsfaktor

Spitzenstrom aus den Alpen (S. 188/189) **S11**
– Strombedarf
– Speicherkraftwerk
– Arbeit mit Statistiken

Industrie im Inntal (S. 192/193) **S11**
– Bsp. Penicillin
– Bsp. Kristallwaren

Kreisdiagramm erstellen (S. 190/191) **M1**

Surftipp
Gotthardt-Basistunnel
27821X-1003

Alp(en)traum (S.182/183) **S11, S15**
– Rollenspiel: Serfaus

Lernen im Netz
Ein Kreisdiagramm erstellen 27821X-1004

GIS
Industrie im Alpenraum
27821X-1006

III. Die Alpen sind in Gefahr: Was gefährdet den Lebens-/Naturraum? Wie lässt er sich bewahren?
– Zusammenhänge von Nutzung und Gefahren
– Welche Handlungsmöglichkeiten hat der Mensch?

Die weiße Gefahr: Lawinen (S. 184/185) **M1, S10, S11, S12**
– Wie entstehen Lawinen?
– Experiment
– Lawinenschutzmaßnahmen

Stirbt der Bergwald? (S. 186/187) **S11**
– Aufgaben des Bergwaldes
– Bergwald stirbt: Ursachen/Folgen
– Alpenkonvention; Schutzmaßnahmen

Bergbauern – wohin? (S. 194/195) **S11**
– Leben auf dem Bauernhof
– Diagramm: Einkommen
– Staatliche Unterstützung

Lernen im Netz
Versuch zu Lawinen 27821X-1005

Festigung Übung Transfer

TERRA Training (S. 196/197)
– Vertiefung
– Wiederholung

Produkt am Ende der UE:
S. erstellen ein Wirkungsschema (vgl. S. 187): „Die Alpen als Natur- und Lebensraum: Nutzung, Gefährdung, Handlungsperspektiven"

Inhaltsfelder mit Seitenangaben (Bezug zum Schülerbuch), fakultative Elemente sind grau hinterlegt
(M= Fachspezifische Methodenkompetenz, S = Sachkompetenz)

 Klett

© Ernst Klett Verlag GmbH, Stuttgart 2010. | www.klett.de |
TERRA Kompetenzen entwickeln 2 GWG | ISBN: 978-3-12-104058-2 |
für: TERRA GWG 2 Gymnasium Baden-Württemberg | ISBN: 978-3-623-27821-6

152

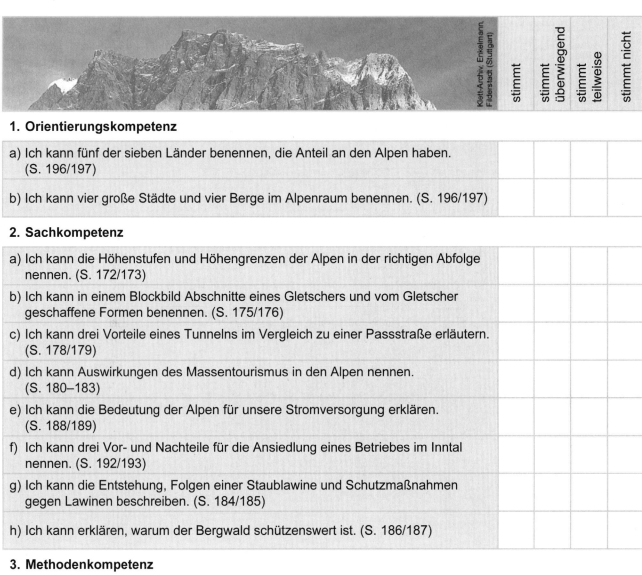

	stimmt	stimmt überwiegend	stimmt teilweise	stimmt nicht

1. Orientierungskompetenz

a) Ich kann fünf der sieben Länder benennen, die Anteil an den Alpen haben. (S. 196/197)				
b) Ich kann vier große Städte und vier Berge im Alpenraum benennen. (S. 196/197)				

2. Sachkompetenz

a) Ich kann die Höhenstufen und Höhengrenzen der Alpen in der richtigen Abfolge nennen. (S. 172/173)				
b) Ich kann in einem Blockbild Abschnitte eines Gletschers und vom Gletscher geschaffene Formen benennen. (S. 175/176)				
c) Ich kann drei Vorteile eines Tunnels im Vergleich zu einer Passstraße erläutern. (S. 178/179)				
d) Ich kann Auswirkungen des Massentourismus in den Alpen nennen. (S. 180–183)				
e) Ich kann die Bedeutung der Alpen für unsere Stromversorgung erklären. (S. 188/189)				
f) Ich kann drei Vor- und Nachteile für die Ansiedlung eines Betriebes im Inntal nennen. (S. 192/193)				
g) Ich kann die Entstehung, Folgen einer Staublawine und Schutzmaßnahmen gegen Lawinen beschreiben. (S. 184/185)				
h) Ich kann erklären, warum der Bergwald schützenswert ist. (S. 186/187)				

3. Methodenkompetenz

a) Ich kann ein Kreisdiagramm erstellen. (S. 180/181)				

Name: Klasse: Datum:

© Ernst Klett Verlag GmbH, Stuttgart 2010. | www.klett.de |
TERRA Kompetenzen entwickeln 2 GWG | ISBN: 978-3-12-104058-2 |
für: TERRA GWG 2 Gymnasium Baden-Württemberg | ISBN: 978-3-623-27821-6

1. Orientierungskompetenz

a) Ich kann fünf der sieben Länder nennen, die Anteil an den Alpen haben. (S. 196/197)

1 Trage in die Kästen die Länder ein, die Anteil an den Alpen haben. (__/7 P.)

b) Ich kann vier große Städte und vier Berge im Alpenraum benennen. (S. 196/197)

2 Trage die jeweiligen Städte, und Berge ein. (__/6 P.)

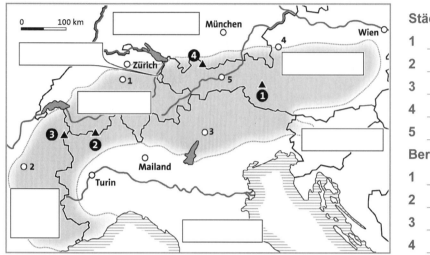

Städte:

1 _____

2 _____

3 _____

4 _____

5 _____

Berge:

1 _____

2 _____

3 _____

4 _____

2. Sachkompetenz

a) Ich kann die Höhenstufen und -grenzen der Alpen in der richtigen Abfolge nennen.
(S. 172/173)

3 Trage die Begriffe in die Kästchen ein. (__/ 10 P.)

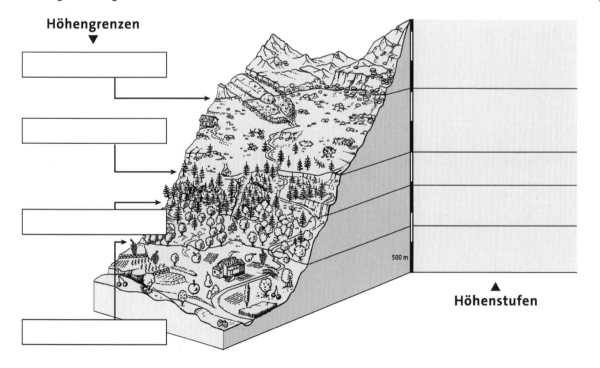

Name: Klasse: Datum:

 Klett   © Ernst Klett Verlag GmbH, Stuttgart 2010. | www.klett.de |
TERRA Kompetenzen entwickeln 2 GWG | ISBN: 978-3-12-104058-2 |
für: TERRA GWG 2 Gymnasium Baden-Württemberg | ISBN: 978-3-623-27821-6

b) Ich kann in einem Blockbild Abschnitte eines Gletschers und vom Gletscher geschaffene Formen benennen. (S. 175/176)

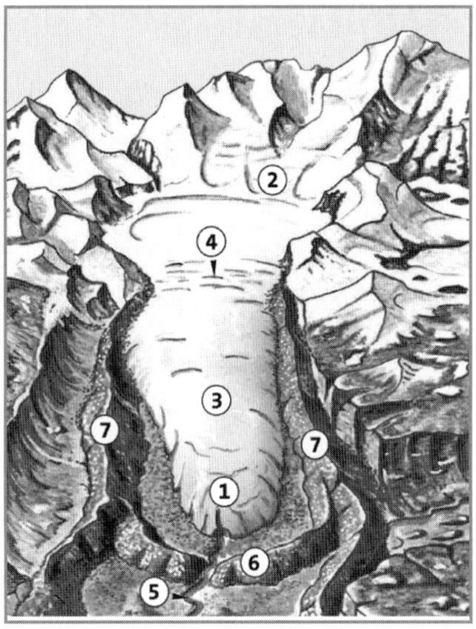

4 Benenne die Ziffern mit dem richtigen Fachbegriff.   (__/7 P.)

1 _____

2 _____

3 _____

4 _____

5 _____

6 _____

7 _____

c) Ich kann drei Vorteile eines Tunnelns im Vergleich zu einer Passstraße erläutern. (S. 178/179)

5 Tief unter dem bereits vorhandenen Autobahntunnel am St. Gotthard entsteht der längste   (__/4 P.)
Tunnel der Welt, der 57 Kilometer lange St. Gotthard-Basistunnel. Erläutere drei Vorteile des
Tunnels im Vergleich zu einer Passstraße.

_____

_____

_____

_____

_____

_____

_____

_____

_____

d) Ich kann Auswirkungen des Massentourismus nennen. (S. 180–183)

6 Nenne zwei Vor- und vier Nachteile des Tourismus.   (__/6 P.)

Nachteile	Vorteile

Name: _____   Klasse: _____   Datum: _____

© Ernst Klett Verlag GmbH, Stuttgart 2010. | www.klett.de |
TERRA Kompetenzen entwickeln 2 GWG | ISBN: 978-3-12-104058-2 |
für: TERRA GWG 2 Gymnasium Baden-Württemberg | ISBN: 978-3-623-27821-6

e) Ich kann die Bedeutung der Alpen für unsere Stromversorgung erklären.

7 Erkläre die Bedeutung der Alpen für unsere Stromgewinnung.

(___/5 P.)

_____

_____

_____

_____

_____

_____

_____

f) Ich kann drei Vor- und Nachteile für die Ansiedlung eines Industriebetriebes im Inntal nennen. (S. 192/193)

8 Nenne drei Vor- und drei Nachteile für die Ansiedlung eines Industriebetriebes im Inntal.

(___/6 P.)

Nachteile	Vorteile

g) Ich kann die Entstehung, Folgen einer Staublawine und Schutzmaßnahmen gegen Lawinen beschreiben. (S. 184/185)

9 Ordne die Aussagen in der richtigen Reihenfolge den Oberbegriffen Ursache-Folge-Schutzmaßnahme zu.

(___/8 P.)

N – Es kann eine Geschwindigkeit von über 350 km/h erreicht werden.

N – Häuser und Menschen können unter den zusammen-gepressten Schneemassen verschüttet werden.

A – Pulverschnee bewegt sich durch die Luft.

A – Skiläufer, die abseits der Piste fahren, werden ebenfalls von der Staublawine erfasst.

L – Durch Aufforstungen bis in eine Höhe von 2200 Metern können Lawinenabgänge verhindert werden.

W –Hohe Geschwindigkeit und Luftdruck führen zu großer Zerstörungskraft.

B – Ausgangssituation: Lawine entsteht an steilen, vor allem waldfreien Hängen nach ausgiebigen Schneefällen.

D – Auch mit Lawinenverbauungen können sich Menschen vor Lawinenabgängen schützen.

Name: **Klasse:** **Datum:**

© Ernst Klett Verlag GmbH, Stuttgart 2010. | www.klett.de |
TERRA Kompetenzen entwickeln 2 GWG | ISBN: 978-3-12-104058-2 |
für: TERRA GWG 2 Gymnasium Baden-Württemberg | ISBN: 978-3-623-27821-6

Ursache

Folge

Schutz-
maßnahmen

h) Ich kann erklären, warum der Bergwald schützenswert ist. (S. 186/187)

10 Erkläre, warum der Bergwald schützenswert ist. (___/5 P.)

3. Methodenkompetenz

a) Ich kann ein Kreisdiagramm erstellen.
(S. 190/191)

11 Erstelle aus den Daten ein Kreisdiagramm für folgenden Sachverhalt: Alpentransit durch Österreich: Gütertransport auf Schiene und Straße 2004.

(___/6 P.)

Schiene	74 Mio. t
Straße	33 Mio. t

Bundesministerium für Verkehr, Innovation und Technologie
„Alpenquerender Güterverkehr in Österreich", Wien 2006, S. 16

Name: Klasse: Datum:

1. Orientierungskompetenz

a) Ich kann fünf der sieben Länder nennen, die Anteil an den Alpen haben. (S. 196/197)

▶ Trage in die Kästen die Länder ein, die Anteil an den Alpen haben.

(___/7 P.)

stimmt	7 – 5 Punkte	stimmt überwiegend	4 Punkte	stimmt teilweise	3 Punkte	stimmt nicht	2 – 0 Punkte

b) Ich kann vier große Städte und vier Berge im Alpenraum benennen. (S. 196/197)

▶ Trage die jeweiligen Städte, und Berge ein.

(___/6 P.)

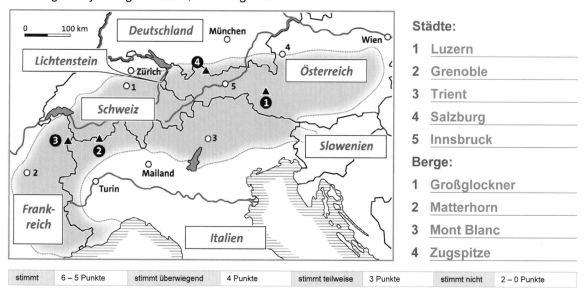

Städte:

1 Luzern _____

2 Grenoble _____

3 Trient _____

4 Salzburg _____

5 Innsbruck _____

Berge:

1 Großglockner _____

2 Matterhorn _____

3 Mont Blanc _____

4 Zugspitze _____

stimmt	6 – 5 Punkte	stimmt überwiegend	4 Punkte	stimmt teilweise	3 Punkte	stimmt nicht	2 – 0 Punkte

2. Sachkompetenz

a) Ich kann die Höhenstufen und -grenzen der Alpen in der richtigen Abfolge nennen. (S. 172/173)

▶ Trage die Begriffe in die Kästchen ein.

(___/10 P.)

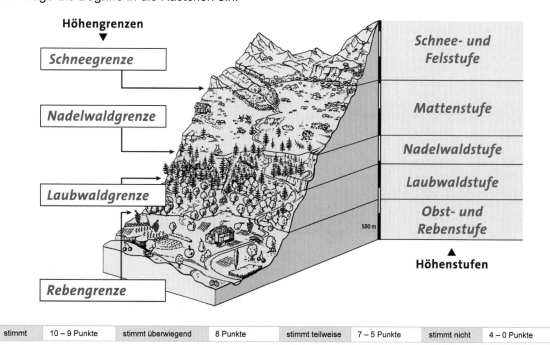

stimmt	10 – 9 Punkte	stimmt überwiegend	8 Punkte	stimmt teilweise	7 – 5 Punkte	stimmt nicht	4 – 0 Punkte

Name: Klasse: Datum:

 © Ernst Klett Verlag GmbH, Stuttgart 2010. | www.klett.de |
TERRA Kompetenzen entwickeln 2 GWG | ISBN: 978-3-12-104058-2 |
für: TERRA GWG 2 Gymnasium Baden-Württemberg | ISBN: 978-3-623-27821-6

b) Ich kann in einem Blockbild Abschnitte eines
   Gletschers und vom Gletscher geschaffene Formen
   benennen. (S. 175/176)

4 Benenne die Ziffern mit dem richtigen Fachbegriff.   (___/7 P.)

1 Gletscherzunge

2 Nährgebiet

3 Zehrgebiet

4 Gletscherspalten

5 Gletscherbach

6 Endmoräne

7 Seitenmoräne

stimmt	7 – 6 Punkte	stimmt überwiegend	5 – 4 Punkte	stimmt teilweise	3 Punkte	stimmt nicht	2 – 0 Punkte

c) Ich kann drei Vorteile eines Tunnelns im Vergleich zu einer Passstraße erläutern.
   (S. 178/179)

5 Tief unter dem bereits vorhandenen Autobahntunnel am St. Gotthard entsteht der längste   (___/4 P.)
Tunnel der Welt, der 57 Kilometer lange St. Gotthard-Basistunnel. Erläutere drei Vorteile des
Tunnels im Vergleich zu einer Passstraße.

1. Personenzüge und Güterzüge können mit hoher Geschwindigkeit (Personenzüge:

   250 km/h, Güterzüge: 160 km/h) den Berg in kurzer Zeit durchqueren, während Autos die

   steilen Passstraßen bewältigen müssen und aufgrund des Anstiegs nur langsam fahren

   können.

2. Bis zu 60 Waggons können Autos „Huckepack" mitnehmen.

3. Während Autos Abgase in die Luft abgeben, ist der Transport auf der Schiene umwelt-

   freundlich.

4. Ein Tunnel nimmt eine geringere Fläche in Anspruch als Passstraßen.

stimmt	4 Punkte	stimmt überwiegend	3 Punkte	stimmt teilweise	2 Punkte	stimmt nicht	1 – 0 Punkte
Punkteverteilung: 1 Punkt für die Formulierung in ganzen Sätzen							

d) Ich kann Auswirkungen des Massentourismus nennen. (S. 180–183)

6 Nenne zwei Vor- und vier Nachteile des Tourismus.   (___/6 P.)

Nachteile	Vorteile

– Viele Menschen auf der Skipiste
  ▶ Unfallgefahr
– Viel Verkehr (Autos, Busse)
  ▶ Schädigung der Umwelt, viele Staus
– Naturzerstörung im Skigebiet oder durch Mountainbiker
– Mehr Müll
– Wildtiere werden gestört
	– Arbeitsplätze (Gastgewerbe, Dienstleitungen: Skiverleih.) entstehen
	  ▶ Junge Menschen müssen nicht zum Arbeiten abwandern.
	– Menschen können Urlaub machen

stimmt	6 – 5 Punkte	stimmt überwiegend	4 Punkte	stimmt teilweise	3 Punkte	stimmt nicht	2 – 0 Punkte

Name: Klasse: Datum:

 Klett
© Ernst Klett Verlag GmbH, Stuttgart 2010. | www.klett.de |
TERRA Kompetenzen entwickeln 2 GWG | ISBN: 978-3-12-104058-2 |
für: TERRA GWG 2 Gymnasium Baden-Württemberg | ISBN: 978-3-623-27821-6

159

e) Ich kann die Bedeutung der Alpen für unsere Stromversorgung erklären.

7 Erkläre die Bedeutung der Alpen für unsere Stromgewinnung. (__/5 P.)

Die Alpen haben eine besondere Bedeutung für unsere Stromversorgung, weil viele

Hochtäler der Alpen durch Gletscher so geformt wurden, dass man dort Staudämme und

dahinter Speicherseen anlegen kann (1), die das Wasser auffangen. Wird plötzlich mehr

Strom benötigt (sogenannter Spitzenstrom) als unsere Kraftwerke zur Verfügung stellen

können (1), wird das Wasser der Speicherseen (1) über große Höhenunterschiede zu den

Speicherkraftwerken im Tal geleitet (1) und dort die energieerzeugenden Turbinen in den

Generatoren an (1).

| stimmt | 5 Punkte | stimmt überwiegend | 4 Punkte | stimmt teilweise | 3 Punkte | stimmt nicht | 2 – 0 Punkte |

f) Ich kann drei Vor- und Nachteile für die Ansiedlung eines Industriebetriebes im Inntal nennen. (S. 192/193)

8 Nenne drei Vor- und drei Nachteile für die Ansiedlung eines Industriebetriebes im Inntal. (__/6 P.)

Nachteile	Vorteile
– Nähe zu Rohstoffen (z.B. Wasser) – Nähe zu Energiequelle (Wasserkraft) – Viele Menschen leben im Inntal (Absatzmarkt) – Region hat Freizeit- und Erholungswert – Zentrale Lage in Europa	– Hohe Umweltschutzvorgaben – Hohe Löhne – Begrenzter Raum

| stimmt | 6 Punkte | stimmt überwiegend | 5 Punkte | stimmt teilweise | 4 – 3 Punkte | stimmt nicht | 2 – 0 Punkte |

g) Ich kann die Entstehung, Folgen einer Staublawine und Schutzmaßnahmen gegen Lawinen beschreiben. (S. 184/185)

9 Ordne die Aussagen in der richtigen Reihenfolge den Oberbegriffen Ursache-Folge-Schutzmaßnahme zu. (__/8 P.)

N – Es kann eine Geschwindigkeit von über 350 km/h erreicht werden.

N – Häuser und Menschen können unter den zusammen-gepressten Schneemassen verschüttet werden.

A – Pulverschnee bewegt sich durch die Luft.

A – Skiläufer, die abseits der Piste fahren, werden ebenfalls von der Staublawine erfasst.

L – Durch Aufforstungen bis in eine Höhe von 2200 Metern können Lawinenabgänge verhindert werden.

W – Hohe Geschwindigkeit und Luftdruck führen zu großer Zerstörungskraft.

B – Ausgangssituation: Lawine entsteht an steilen, vor allem waldfreien Hängen nach ausgiebigen Schneefällen.

D – Auch mit Lawinenverbauungen können sich Menschen vor Lawinenabgängen schützen.

Name: _____   Klasse: _____   Datum: _____

Klett

© Ernst Klett Verlag GmbH, Stuttgart 2010. | www.klett.de |
TERRA Kompetenzen entwickeln 2 GWG | ISBN: 978-3-12-104058-2 |
für: TERRA GWG 2 Gymnasium Baden-Württemberg | ISBN: 978-3-623-27821-6

160

Ursache	B	Ausgangssituation: Lawine entsteht an steilen, vor allem waldfreien Hängen nach ausgiebigen Schneefällen.
	A	Pulverschnee bewegt sich durch die Luft.
	N	Es kann eine Geschwindigkeit von über 350km/h erreicht werden.
Folge	N	Hohe Geschwindigkeit und Luftdruck führen zu großer Zerstörungskraft.
	W	Häuser und Menschen können unter den zusammengepressten Schneemassen verschüttet werden.
	A	Skiläufer, die abseits der Piste fahren, werden ebenfalls von der Staublawine erfasst.
Schutz-maßnahmen	L	Durch Aufforstungen bis in eine Höhe von 2200 Metern können Lawinenabgänge verhindert werden.
	D	Auch mit Lawinenverbauungen können sich Menschen vor Lawinenabgängen schützen.

stimmt	8 – 7 Punkte	stimmt überwiegend	6 Punkte	stimmt teilweise	5 – 4 Punkte	stimmt nicht	3 – 0 Punkte

h) Ich kann erklären, warum der Bergwald schützenswert ist. (S. 186/187)

10 Erkläre, warum der Bergwald schützenswert ist.　　　　　　(__ /5 P.)

Wenn wir dem Bergwald Schaden zufügen, schaden wir nicht nur ihm, sondern auch uns (1).

Der Bergwald ist nämlich besonders wichtig für Mensch und Natur. Ohne ihn wäre die

Steinschlaggefahr viel höher (1). Er sorgt nach starken Regenfällen mit seinem Wurzelwerk

dafür, dass der Boden nicht abgeschwemmt wird (1). Schlammströme (Muren) werden so

verhindert (1). Der Bergwald kann den Menschen auch gegen Lawinen schützen (1).

Für den Menschen ist er zudem als Erholungsraum wichtig.

stimmt	5 Punkte	stimmt überwiegend	4 Punkte	stimmt teilweise	3 Punkte	stimmt nicht	2 – 0 Punkte

3. Methodenkompetenz

a) Ich kann ein Kreisdiagramm erstellen. (S. 190/191)

11 Erstelle aus den Daten ein Kreisdiagramm für folgenden Sachverhalt: Alpentransit durch Österreich: Gütertransport auf Schiene und Straße 2004.

Schiene	74 Mio. t
Straße	33 Mio. t

Bundesministerium für Verkehr, Innovation und Technologie „Alpenquerender Güterverkehr in Österreich", Wien 2006, S. 16

(__ /6 P.)

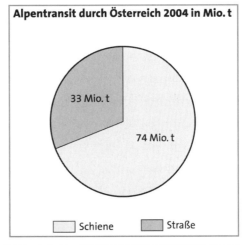

Alpentransit durch Österreich 2004 in Mio. t

33 Mio. t

74 Mio. t

☐ Schiene ▨ Straße

stimmt	6 Punkte	stimmt überwiegend	5 Punkte	stimmt teilweise	4 – 3 Punkte	stimmt nicht	2 – 0 Punkte

Punkteverteilung: Jeweils 1 Punkt für die richtige Umrechnung und jeweils 1 Punkt für die richtige zeichnerische Darstellung.
1 Punkt für die richtige Beschriftung/Legende und 1 Punkt für die Überschrift

Name:　　　　　　　　　　**Klasse:**　　　　　　　　**Datum:**

© Ernst Klett Verlag GmbH, Stuttgart 2010. | www.klett.de |
TERRA Kompetenzen entwickeln 2 GWG | ISBN: 978-3-12-104058-2 |
für: TERRA GWG 2 Gymnasium Baden-Württemberg | ISBN: 978-3-623-27821-6

161

1 Benenne die sieben Länder, die Anteil an den Alpen haben sowie vier große Städte und vier (__/8 P.)
große Berge der Alpen.

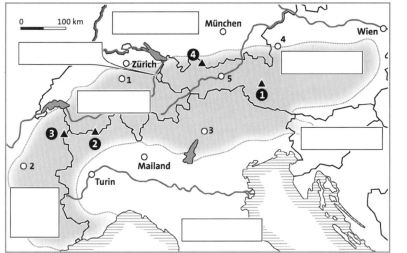

Städte:

1 _____

2 _____

3 _____

4 _____

5 _____

Berge:

1 _____

2 _____

3 _____

4 _____

2 Streiche in jeder Reihe den nicht passenden Begriff. (__/4 P.)

Forstwirtschaft	Nadelwaldstufe	Bergwiesen	Fichten
Obst-/Rebenstufe	Eichen	Apfelbäume	Ackerbau
Mattenstufe	Almhütte	niedrige Sträucher	21°C
Schneegrenze	Wiesengrenze	Laubwaldgrenze	Rebengrenze

3 Benenne die Ziffern mit dem richtigen Fachbegriff. (__/7 P.)

1 _____

2 _____

3 _____

4 _____

5 _____

6 _____

7 _____

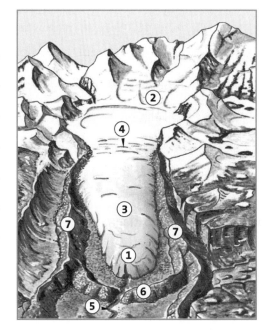

Name: _____ Klasse: _____ Datum: _____

 © Ernst Klett Verlag GmbH, Stuttgart 2010. | www.klett.de |
TERRA Kompetenzen entwickeln 2 GWG | ISBN: 978-3-12-104058-2 |
für: TERRA GWG 2 Gymnasium Baden-Württemberg | ISBN: 978-3-623-27821-6

4 Ordne die Begriffe zum Tourismus in den Alpen in das Fließschema ein und ergänze Fehlendes.   (__ / 14 P.)

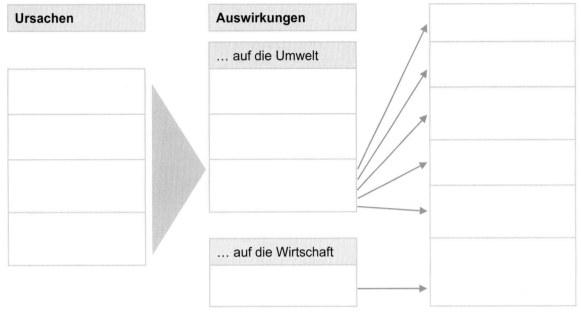

| Ursachen | Auswirkungen | | |

Viele große Hotels werden gebaut.	Viel Verkehr in den Alpen	Verstärkte Schlamm-ströme (Muren)	Fehlender Schutz gegen Lawinen
Schädigung des Bergwalds	Wildtiere werden gestört.	Höhere Steinschlaggefahr	Schädigung durch Müll und Abgase
Viele Arbeitsplätze entstehen.	Es mangelt am Erholungsraum für den Menschen.	Kunstschnee garantiert schnee-reiche Pisten.	Junge Menschen müssen nicht abwandern, um Arbeit zu finden.

5 Überprüfe, ob die Aussagen in der Tabelle zutreffen oder nicht. Trifft die Aussage nicht zu, schreibe die richtige Antwort unten auf die Linie.   (__ /9 P.)

Die Aussage trifft zu	ja	nein
Die Tabelle thematisiert die Bevölkerungs- und Tourismusentwicklung in Serfaus.		
Die Einwohnerzahl in Serfaus ist von 1960 bis 2006 zurückgegangen.		
Aus der Tabelle erhalte ich Informationen über Übernachtungszahlen pro Monat.		
Die Zahl der Übernachtungen hat sich von 1960 bis 2006 mehr als verneunfacht.		
Die Zahl der bäuerlichen Betriebe ist im Laufe der Zeit zurückgegangen.		
Die Zahl der Murmeltiere hat seit 1960 abgenommen.		

Bevölkerungs- und Wirtschaftsentwicklung in Serfaus

Jahr	1960	2006
Einwohner	710	1 170
Bettenzahl	800	5 306
Übernachtungen pro Jahr	80 000	880 083
Lift-/Seilbahn-beförderung/Jahr	60 000	8 230 000
Zahl der Skilehrer	30	253
Bäuerliche Betriebe	63	40

Gemeinde Serfaus

Gesamtpunktzahl: (__ / 49 P.)

Note:

Name: Klasse: Datum:

 Klett   © Ernst Klett Verlag GmbH, Stuttgart 2010. | www.klett.de |
TERRA Kompetenzen entwickeln 2 GWG | ISBN: 978-3-12-104058-2 |
für: TERRA GWG 2 Gymnasium Baden-Württemberg | ISBN: 978-3-623-27821-6

1▶ Benenne die sieben Länder, die Anteil an den Alpen haben sowie vier große Städte und vier große Berge der Alpen. (___/8 P.)

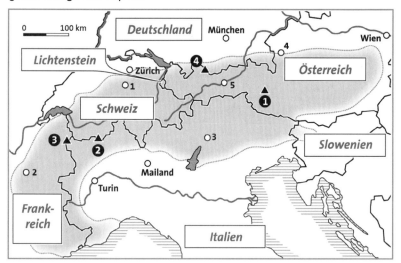

Städte:

1 Luzern

2 Grenoble

3 Trient

4 Salzburg

5 Innsbruck

Berge:

1 Großglockner

2 Matterhorn

3 Mont Blanc

4 Zugspitze

2▶ Streiche in jeder Reihe den nicht passenden Begriff. (___/4 P.)

Forstwirtschaft	Nadelwaldstufe	~~Bergwiesen~~	Fichten
Obst-/Rebenstufe	~~Eichen~~	Apfelbäume	Ackerbau
Mattenstufe	Almhütte	niedrige Sträucher	~~21°C~~
Schneegrenze	~~Wiesengrenze~~	Laubwaldgrenze	Rebengrenze

3▶ Benenne die Ziffern mit dem richtigen Fachbegriff (___/7 P.)

1 Gletscherzunge

2 Nährgebiet

3 Zehrgebiet

4 Gletscherspalten

5 Gletscherbach

6 Endmoräne

7 Seitenmoräne

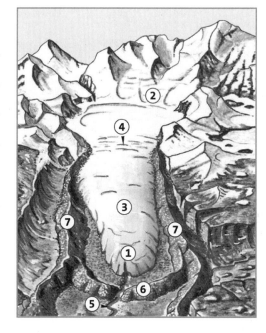

Name: Klasse: Datum:

 Klett
© Ernst Klett Verlag GmbH, Stuttgart 2010. | www.klett.de |
TERRA Kompetenzen entwickeln 2 GWG | ISBN: 978-3-12-104058-2 |
für: TERRA GWG 2 Gymnasium Baden-Württemberg | ISBN: 978-3-623-27821-6

4 Ordne die Begriffe zum Tourismus in den Alpen in das Fließschema ein und ergänze Fehlendes. (___ / 14 P.)

Ursachen	Auswirkungen	
	... auf die Umwelt	Höhere Steinschlaggefahr
Viel Verkehr in den Alpen	Schädigung durch Müll und Abgase	Fehlender Schutz gegen Lawinen
Viele große Hotels werden gebaut.	Wildtiere werden gestört.	Es mangelt am Erholungsraum für den Menschen.
Weitere Skipisten in den Alpen entstehen	Schädigung des Bergwalds	Abschwemmung des Bodens
Kunstschnee garantiert schnee-reiche Pisten.		Verstärkte Schlamm-ströme (Muren)
	... auf die Wirtschaft	Junge Menschen müssen nicht abwandern, um Arbeit zu finden.
	Viele Arbeitsplätze entstehen.	

Viele große Hotels werden gebaut.	Viel Verkehr in den Alpen	Verstärkte Schlamm-ströme (Muren)	Fehlender Schutz gegen Lawinen
Schädigung des Bergwalds	Wildtiere werden gestört.	Höhere Steinschlaggefahr	Schädigung durch Müll und Abgase
Viele Arbeitsplätze entstehen.	Es mangelt am Erholungsraum für den Menschen.	Kunstschnee garantiert schnee-reiche Pisten.	Junge Menschen müssen nicht abwandern, um Arbeit zu finden.

5 Überprüfe, ob die Aussagen in der Tabelle zutreffen oder nicht. Trifft die Aussage nicht zu, schreibe die richtige Antwort unten auf die Linie. (___ /9 P.)

Die Aussage trifft zu	ja	nein
Die Tabelle thematisiert die Bevölkerungs- und Tourismusentwicklung in Serfaus.		x
Die Einwohnerzahl in Serfaus ist von 1960 bis 2006 zurückgegangen.	x	
Aus der Tabelle erhalte ich Informationen über Übernachtungszahlen pro Monat.		x
Die Zahl der Übernachtungen hat sich von 1960 bis 2006 mehr als verneunfacht.	x	
Die Zahl der bäuerlichen Betriebe ist im Laufe der Zeit zurückgegangen.	x	
Die Zahl der Murmeltiere hat seit 1960 abgenommen.		x

Bevölkerungs- und Wirtschaftsentwicklung in Serfaus

Jahr	1960	2006
Einwohner	710	1 170
Bettenzahl	800	5 306
Übernachtungen pro Jahr	80 000	880 083
Lift-/Seilbahn-beförderung/Jahr	60 000	8 230 000
Zahl der Skilehrer	30	253
Bäuerliche Betriebe	63	40

Gemeinde Serfaus

Punkteverteilung: Je richtige Lösung 1 Punkt; je falsche Lösung 1 Punkt Abzug; richtige Korrektur 1 Punkt

Zu 1: Die Tabelle thematisiert die Bevölkerungs- und Wirtschaftsentwicklung in Serfaus
Zu 4: Aus der Tabelle erhalte ich Informationen über Übernachtungszahlen pro Jahr
Zu 7: Von Murmeltieren ist überhaupt nicht die Rede

49–43 Punkte = 1
42–35 Punkte = 2
34–28 Punkte = 3
27–21 Punkte = 4
20–10 Punkte = 5
9–0 Punkte = 6

Gesamtpunktzahl: (___ / 49 P.)

Note:

Name: Klasse: Datum:

© Ernst Klett Verlag GmbH, Stuttgart 2010. | www.klett.de |
TERRA Kompetenzen entwickeln 2 GWG | ISBN: 978-3-12-104058-2 |
für: TERRA GWG 2 Gymnasium Baden-Württemberg | ISBN: 978-3-623-27821-6

1 Begleite Fabian und Carla auf dem Weg zum Gipfel. Unterwegs gibt es Einiges zu entdecken.
Lies den Text, markiere Wichtiges und trage zu der jeweiligen Höhenstufe Nutzungsform, Vegetation und
Temperaturangaben in die Tabelle ein.

Fabians und Carlas Fahrt beginnt auf 250 m über NN in der Obst- und Ackerbaustufe. Mit 21° Grad ist es
angenehm warm. Mit ihren T-Shirts sind beide gut gerüstet. Auf dem Weg nach oben können Carla und
Fabian gut erkennen, dass das unter ihnen liegende Land gut als Weideland und zum Ackerbau, in einigen
günstigen Lagen sogar zum Obst- und Weinanbau genutzt. Kirschbäume und Apfelbäume wollen geerntet
werden. Die meiste Fläche wird aber zur Viehhaltung genutzt. Fabian weiß, dass man noch bis 800 m
Landwirtschaft betreiben kann. Man nennt dies die Ackerbau- oder Rebengrenze.
Während Carla und Fabian über die Laubbaumstufe, in der sich v.a. Eichen und Buchen befinden,
hinwegschweben, beginnt ab 1500 m der Nadelwald, mit Kiefern, Fichten oder Lerchen. In der Laubbaum-
und Nadelwaldstufe findet v.a. Fortwirtschaft statt. Ab einer Höhe von rund 1800 m / 2000 m beginnt die
Waldgrenze bzw. Baumgrenze. Darüber steht kein einziger Baum mehr, da hier Bäume, aufgrund der Kälte,
nicht mehr gedeihen können.
Brrrr… Carla und Fabian beginnen zu frieren. Auch der zusätzliche Pullover, den beide mitgenommen haben,
ist keine große Hilfe, schließlich beträgt die Temperatur ab 2000 m in der Mattenstufe, in der Bergwiesen,
niedrige Sträucher und Almwirtschaft dominieren, nur noch rund 8°C. Aber das ist gar nichts gegen die
Schnee- und Felsstufe, die ab 2500 m beginnt. Hier ist es nur noch 4°C warm (oder besser gesagt kalt).
Einzelne Berghütten für Kletterfreunde sind zu sehen, ansonsten kein Strauch, kein Baum. Für Carla und
Fabian heißt es nun nur noch mit dem nächsten Lift wieder schnurstracks hinunter zu fahren. Wer will schon
eine Schneemumie werden?

Höhenstufen	Vegetation	Nutzung	Temperatur

2500 m

2000 m

1500 m

800 m

0 m

Name: **Klasse:**   **Datum:**

© Ernst Klett Verlag GmbH, Stuttgart 2010. | www.klett.de |
TERRA Kompetenzen entwickeln 2 GWG | ISBN: 978-3-12-104058-2 |
für: TERRA GWG 2 Gymnasium Baden-Württemberg | ISBN: 978-3-623-27821-6

1 Begleite Fabian und Carla auf dem Weg zum Gipfel. Unterwegs gibt es Einiges zu entdecken.
Lies den Text, markiere Wichtiges und trage zu der jeweiligen Höhenstufe Nutzungsform, Vegetation und
Temperaturangaben in die Tabelle ein.

Fabians und Carlas Fahrt beginnt auf 250 m über NN in der Obst- und Ackerbaustufe. Mit 21° Grad ist es
angenehm warm. Mit ihren T-Shirts sind beide gut gerüstet. Auf dem Weg nach oben können Carla und
Fabian gut erkennen, dass das unter ihnen liegende Land gut als Weideland und zum Ackerbau, in einigen
günstigen Lagen sogar zum Obst- und Weinanbau genutzt. Kirschbäume und Apfelbäume wollen geerntet
werden. Die meiste Fläche wird aber zur Viehhaltung genutzt. Fabian weiß, dass man noch bis 800 m
Landwirtschaft betreiben kann. Man nennt dies die Ackerbau- oder Rebengrenze.
Während Carla und Fabian über die Laubbaumstufe, in der sich v.a. Eichen und Buchen befinden,
hinwegschweben, beginnt ab 1500 m der Nadelwald, mit Kiefern, Fichten oder Lerchen. In der Laubbaum-
und Nadelwaldstufe findet v.a. Fortwirtschaft statt. Ab einer Höhe von rund 1800 m / 2000 m beginnt die
Waldgrenze bzw. Baumgrenze. Darüber steht kein einziger Baum mehr, da hier Bäume, aufgrund der Kälte,
nicht mehr gedeihen können.
Brrrr… Carla und Fabian beginnen zu frieren. Auch der zusätzliche Pullover, den beide mitgenommen haben,
ist keine große Hilfe, schließlich beträgt die Temperatur ab 2000 m in der Mattenstufe, in der Bergwiesen,
niedrige Sträucher und Almwirtschaft dominieren, nur noch rund 8°C. Aber das ist gar nichts gegen die
Schnee- und Felsstufe, die ab 2500 m beginnt. Hier ist es nur noch 4°C warm (oder besser gesagt kalt).
Einzelne Berghütten für Kletterfreunde sind zu sehen, ansonsten kein Strauch, kein Baum. Für Carla und
Fabian heißt es nun nur noch mit dem nächsten Lift wieder schnurstracks hinunter zu fahren. Wer will schon
eine Schneemumie werden?

Höhenstufen	Vegetation	Nutzung	Temperatur
Schnee-/ Felsstufe	keine	Berghütte	4°C
Mattenstufe	Bergwiesen, Matten, niedrige Sträucher	Almwirtschaft Almhütte	8°C
Nadelbaum-stufe	Kiefern, Lerchen Fichten	Forstwirtschaft	
Misch-/ Laubwaldstufe	Eichen Buchen	Forstwirtschaft	
Obst- und Rebenstufe	Kirschbäume Apfelbäume Felder	Ackerbau Viehhaltung Weinanbau Obstanbau	21°C

(Höhenangaben: 2500 m, 2000 m, 1500 m, 800 m, 0 m)

Name: _____ Klasse: _____ Datum: _____

© Ernst Klett Verlag GmbH, Stuttgart 2010. | www.klett.de |
TERRA Kompetenzen entwickeln 2 GWG | ISBN: 978-3-12-104058-2 |
für: TERRA GWG 2 Gymnasium Baden-Württemberg | ISBN: 978-3-623-27821-6

Herzlich Willkommen im Nationalpark Berchtesgaden
– dem einzigen deutschen Nationalpark in den Alpen!

Auf der Seite des Nationalparks Berchtesgaden (siehe Link) erfährst du, was ein Nationalpark ist, welche Tiere und Pflanzen dort leben und Vieles mehr.

> Recherchiere hier: http://www.nationalpark-berchtesgaden.bayern.de/index.htm

1 Beschreibe die Lage des Nationalparks Berchtesgaden.

_____

_____

_____

2 Die nachfolgenden Aufgaben kannst du mithilfe der Internetseiten des Nationalparks Berchtesgaden lösen oder mithilfe des Films, den du unter nachfolgendem Link findest.

> Film unter: http://www.nationalpark-berchtesgaden.bayern.de/besucherservice/schulfuehrungen/index.htm
> ▶ rechts ganz nach unten scrollen ▶ „Kurzfilm über den Nationalpark Berchtesgaden"

a) Nenne Ziele des Nationalparks? Erkläre den Begriff Nationalpark.

_____

_____

_____

b) Welche Tiere und Pflanzen leben im Nationalpark?
   Löse den Tier- und Pflanzenquiz (siehe ▶ Kinder ▶ Spiele oder: http://www.nationalpark-berchtesgaden.bayern.de/kinder/spiele/index.htm) oder schau Dir den Film (Link siehe oben) an.

   Nenne jeweils drei Tiere und Pflanzen, die im Nationalpark Berchtesgaden leben.
   Erstelle zu jeweils einem Tier und einer Pflanze mithilfe von Internet oder Lexika einen Steckbrief.

	Recherche: Tier-/Pflanzenquiz	**Film: Kurzfilm über den Nationalpark Berchtesgaden**
Tiere im Nationalpark Berchtesgaden:		
Pflanzen im National-park Berchtesgaden:		

Name: _____   Klasse: _____   Datum: _____

© Ernst Klett Verlag GmbH, Stuttgart 2010. | www.klett.de |
TERRA Kompetenzen entwickeln 2 GWG | ISBN: 978-3-12-104058-2 |
für: TERRA GWG 2 Gymnasium Baden-Württemberg | ISBN: 978-3-623-27821-6